7 HISTOIRES À DORMIR DEBOUT!

# Malédictions au manoir



COLLECTIF D'AUTEURS

Dominique et compagnie

## Chère lectrice, cher lecteur,

Nous sommes sept auteures et auteurs jeunesse québécois fort différents les uns des autres, mais nous avons tous un point en commun : notre envie de raconter des histoires farfelues ! Voilà pourquoi nous avons accepté d'écrire à sept mains un recueil de nouvelles portant sur un thème fascinant : les malédictions.

Nous, les sept « nouvellistes », avons plongé dans un univers inventé de toutes pièces par la romancière Sophie Rondeau. Notre malicieuse collègue a imaginé une drôle de famille (les Morse) comptant sept enfants (nommés selon l'ordre alphabétique), deux parents (un inventeur et une pâtissière), et une grand-mère voyageuse. Cette tribu a emménagé depuis peu dans un mystérieux manoir non loin du pittoresque village de Bradel.

Comme point de départ, nous disposions simplement de la description des personnages et des lieux, que tu vas découvrir dans les pages suivantes. À partir de là, chacun a laissé libre cours à son imagination et a créé un récit qui, nous l'espérons, t'amusera, te distraira, te captivera…

Bonne lecture !

Sophie Rondeau

Julie Royer

Louise Tondreau-Levert

Étienne Poirier

Manon Plouffe

Pascal Henrard

Laurence Aurélie

# Les Morse, une famille farfelue !

**Adèle**, 15 ans
Lectrice passionnée, intellectuelle, curieuse et rêveuse, l'aînée des enfants Morse rêve d'écrire des livres lorsqu'elle sera adulte. Elle parle souvent avec des mots savants que ses frères et sœurs ne comprennent pas toujours.

**Bernard**, 13 ans
C'est le clown de la fratrie. Il adore faire des blagues et des jeux de mots. À l'occasion, il aime faire peur à ses frères et sœurs en leur racontant des histoires abracadabrantes. Bernard mange comme un ogre avec ses dents munies de broches et il a très mauvais caractère quand il a faim.

**Daphnée**, 12 ans
(jumelle de Clément)
Elle a une allergie sévère aux fruits de mer.
Elle est très grande, plus grande que son frère jumeau, ce qu'elle ne manque pas de lui rappeler.
Daphnée est spontanée, optimiste et souriante.
C'est une amoureuse de la nature et des animaux.
Mirliton (le cheval) est son plus grand confident.

**Clément**, 12 ans
(jumeau de Daphnée)
Né quelques minutes avant Daphnée, il ne rate jamais une occasion de le lui rappeler. Casse-cou, il s'est fracturé le bras, la jambe, un orteil, et brise régulièrement ses lunettes.
Il adore faire du ski nautique sur le lac Majuscule. Clément et Bernard font souvent les 400 coups ensemble. Ils ont inventé une expression qu'ils utilisent à toutes les sauces : « Zinzibulle ».

**Émile**, 11 ans
Il adore inventer des objets et faire des expériences comme son père avec lequel il passe beaucoup de temps. Il se sent en compétition avec Adèle, qui sait beaucoup plus de choses que lui. De caractère un peu anxieux, Émile cherche à prouver à ses frères et sœurs qu'il est débrouillard et astucieux. Il est très proche de sa grand-mère Julia.

**Fannie**, 9 ans
Romantique à l'excès, elle rêve d'être une princesse. Elle aime bien porter des vêtements très féminins. Très calme, comme sa mère, elle est plutôt peureuse, sensible et très affectueuse. Fannie s'entend bien avec tous ses frères et sœurs qui, parfois, n'hésitent pas à profiter de sa naïveté.

**Gabriel**, 8 ans
Il a six orteils au pied gauche. Tous essaient de découvrir s'il a un don, vu qu'il est le septième d'une famille de sept. Il a l'âme artiste : il gribouille souvent partout (même sur la table !). Il veut être « un grand » comme ses frères et sœurs. Alors il lui arrive de se montrer ronchonneur quand il ne peut pas faire la même chose que les autres.

**Hervé Morse, le père**
Il est inventeur. Il passe toute la journée dans son atelier à mettre sur pied ses inventions. Il fait régulièrement sauter les fusibles de la maison. Il a toujours l'air un peu dans la lune. C'est une personne souriante qui porte des petites lunettes rondes. Hervé croit dur comme fer qu'il garde son calme en toutes circonstances. Mais en réalité, il s'énerve très facilement !

**Isabella Cyrilli, la mère**
Elle cuisine des gâteaux qui ont des formes extraordinaires, des pièces montées extravagantes ainsi que de succulents biscuits, pour la pâtisserie *Le croquembouche.*
Elle travaille de la maison et livre elle-même ses gâteaux. Elle est douce et posée, sauf lorsque le tonnerre gronde et que les éclairs zèbrent le ciel…

**Julia Morse, la grand-mère**
C'est une grand-mère cool, dotée d'une crinière frisée et d'un regard profond. Elle a été autrefois costumière pour une chaîne de télévision. Elle apporte d'ailleurs à l'occasion à ses petits-enfants d'anciens costumes qu'elle a récupérés au cours des années.
Elle s'est recyclée dans l'astrologie (pour le plaisir de communier avec les étoiles !)

# D'autres infos sur les Morse...

**Où vivent-ils ?**

Les Morse habitaient un taudis jusqu'à ce que la mère, Isabella Cyrilli, hérite de sa grand-tante Isadora un domaine immense comprenant un manoir et ses dépendances. Dès lors, toute la famille s'y est installée. Isabella a alors converti deux chambres du manoir en un gîte touristique (de type *bed and breakfast*). On croise donc souvent des visiteurs (parfois incongrus) à la maison.

Le manoir est une très grande habitation centenaire qui comporte 26 pièces (comme les 26 lettres de l'alphabet). Certains habitants du village affirment qu'il est hanté et qu'il compte plusieurs passages secrets, mais personne ne les a encore découverts. Le bâtiment est également entouré d'un grand jardin quelque peu à l'abandon.

Le domaine compte notamment une écurie où vivent deux chevaux: Mirliton et Rigodon. Il donne sur le lac Majuscule. (Il existe aussi un lac Minuscule, à quelques kilomètres de là.) On peut accéder au lac Majuscule à partir d'un petit quai flottant. L'été, les enfants aiment pêcher et nager dans cette vaste étendue d'eau.

Le domaine des Morse se trouve à environ deux kilomètres du village de Bradel. Les jeunes s'y rendent souvent à vélo, parfois avec la bicyclette à deux étages que leur a construite leur père. Les sept enfants peuvent s'y asseoir en même temps.

## Qui côtoient-ils?

Isabella est en froid avec sa famille depuis qu'elle a hérité du domaine. Ses proches la boudent, car elle a été la seule légataire de sa tante Isadora.

Les plus proches voisins de la famille Morse sont Kimberly (12 ans) et Lawrence (10 ans). Ils sont anglophones, mais parlent très bien français. Leurs parents possèdent une ferme laitière. Kimberly et Lawrence aiment jouer avec tous les enfants Morse, mais Kimberly s'entend particulièrement bien avec Daphnée, et Lawrence, avec Émile.

**Quelques précisions sur Bradel...**

Bradel est un village touristique, à cause du lac Majuscule qui attire de nombreux vacanciers. Il y a une plage municipale où les gens aiment bien se baigner. La municipalité compte plusieurs petits commerces :

- une épicerie : *Le marché Majuscule*
- une quincaillerie : *Vilebrequin et Cie*
- une boulangerie-pâtisserie : *Le croquembouche*
- un antiquaire : *Le temps jadis*
- un bureau de poste
- un fleuriste : *Iris et Capucine*
- une ébénisterie : *Bran de scie*
- un « stand à patates » : *La pataterie Chez Flo*
- un motel (au bord du lac) : *Le marchand de sable*

On trouve également au village une école primaire (l'école *L'encrier*). Par contre, les élèves de l'école secondaire doivent se rendre dans une municipalité voisine.

Ces personnages et cet univers ont été imaginés par Sophie Rondeau.

# Les esprits vengeurs

UNE HISTOIRE DE SOPHIE RONDEAU

– Malédiction !

Un sourire victorieux aux lèvres, Clément place les lettres sur le plateau de Scrabble. À la suite du mot « mâle » qui avait été proposé un peu plus tôt, il ajoute d-i-c-t-i-o-n, utilisant du même coup toutes les lettres de son chevalet.

Fannie regarde son grand frère et fait la moue.

– Es-tu bien sûr que c'est un vrai mot ?

– Zinzibulle ! J'te jure que c'est un vrai mot !

– Je ne te fais plus confiance, tu triches trop souvent !

– On n'a qu'à demander à mademoiselle Je-sais-tout, elle te le confirmera. Adèle !

Chez les Morse, tout le monde considère l'aînée de la famille comme un dictionnaire ambulant.

– Adèle ! Lâche ton livre une seconde. Peux-tu dire à Fannie ce que signifie le mot « malédiction » ?

Avachie dans un fauteuil du salon, la jeune lectrice relève la tête mollement et répond :

– Une malédiction est un malheur qui arrive par la force du destin, un vœu qu'on fait pour porter malchance à quelqu'un.

Fannie soupire. Elle examine le décompte des points. Avec ce coup, son frère vient d'atteindre 101 points, la devançant très largement.

– Je n'ai plus envie de jouer. Tu gagnes de toute façon, grommelle-t-elle en repoussant son chevalet.

– Pff ! La princesse ne veut plus participer parce qu'elle perd ! Alors qu'on commence à s'amuser !

– Justement, je ne m'amuse plus.

Fannie ne gagne à aucun jeu avec Clément. Il ne lui laisse jamais la moindre petite chance. Il a trois ans de plus qu'elle, alors ils ne sont pas à armes égales.

Vexée, la jeune fille range les jetons, les chevalets et le plateau dans leur emballage. Elle ramasse son verre vide (une élégante flûte en cristal dans laquelle elle boit toujours son jus d'orange) et se dirige d'un pas vif vers la porte lorsque Clément la rattrape par la manche de son chandail fuchsia.

– Eh bien, si tu ne veux plus jouer…

Le garçon prend une voix solennelle en faisant des gestes inquiétants avec sa main libre :

– Moi, Clément Morse, je te lance une malédiction pour te punir et j'invoque les esprits vengeurs du manoir. À partir de cet instant, faites que la chance de Fannie Morse la quitte ! Zinzibulle, zinzibullox, que la mauvaise fortune s'abatte sur elle !

Un frisson saisit la jeune fille. Elle n'ignore pas qu'à Bradel, on raconte que le manoir des Morse est hanté par des esprits maléfiques. Et maintenant, son frère fait appel à eux !

Ce dernier éclate d'un rire grinçant.

– Hé, hé, hé !!! Tant pis pour toi, mauvaise perdante !

Fannie se ressaisit. Pourquoi aurait-elle peur ? Clément veut encore l'agacer, comme d'habitude.

– Très drôle, très drôle, marmonne la princesse en herbe.

Dès que le farceur lui tourne le dos, elle lui tire la langue et file vers la cuisine.

Alors qu'elle s'apprête à rincer sa flûte en cristal, celle-ci lui glisse des mains et se fracasse sur le sol, projetant une multitude d'éclats étincelants sur le plancher. Dépitée, Fannie se mord la lèvre inférieure. Sa mère sera déçue. Cet objet précieux faisait partie d'un coffret appartenant à la fameuse tante Isadora, celle-là même qui leur a légué le manoir.

Alertée par le bruit, Adèle se précipite dans la cuisine.

– Attention ! l'avertit Fannie. J'ai échappé mon verre.
– Oh nooonnn !!! Pas une des flûtes en cristal de la tante Isadora ?! s'écrie Adèle.
Clément surgit à son tour.
– Ah ! Ah ! Je le savais ! dit-il d'un air triomphant. Les esprits vengeurs sont avec moi !
Fannie hausse les épaules.
– Ce n'est qu'un accident. Ça arrive à tout le monde.
– Je t'ai avertie, sœurette. À partir de maintenant, une malédiction plane au-dessus de ta tête. Zinzibulle, zinzibullox !
Adèle attrape un balai dans le placard. Elle fait mine de donner un petit coup à son frère, puis elle le tend à Fannie.
– Bon, bon, bon. Trêve d'hostilités, vous deux, il faut ramasser les dégâts maintenant.
Clément remonte ses lunettes sur son nez, lance un sourire narquois à sa jeune sœur et sort de la pièce, le torse bombé de fierté.
« Évidemment, ça ne lui vient pas à l'idée de m'aider », ronchonne Fannie intérieurement. Elle ne peut pas s'empêcher de penser que c'est un peu de la faute de son frère si elle a cassé la coupe de tante Isadora.
Au moment de monter dans sa chambre pour la nuit, la jeune fille essaie de ne plus penser aux menaces de Clément. Son frère ferait n'importe quoi pour se rendre

intéressant. Il sait que celle qu'il surnomme Fannie-la-Princesse est une grande sensible. Demain, cette histoire d'esprits vengeurs sera oubliée et le garçon trouvera un autre plan tordu pour l'agacer.

***

La famille Morse au grand complet est assise à table pour déjeuner, sauf Bernard, parti chercher le courrier à la boîte aux lettres au bout du chemin. Ce matin, Hervé prépare des crêpes. Il s'amuse à leur donner des formes inusitées en versant la pâte à l'aide d'un instrument métallique à piston de son invention. Cela ravit les plus jeunes qui adorent mettre leur père au défi.

– Je veux une sorcière sur son balai ! crie Gabriel.
– Et moi un beau cheval, ajoute Daphnée, la passionnée d'équitation.

Comme souvent, Émile, le scientifique de la tribu, surprend tout le monde.

– Attendez, j'ai une meilleure idée, claironne-t-il. Fais-moi une molécule d'eau, papa !

Hervé siffle.

– Ah ! Là, tu parles, mon garçon !

Isabella, souriante, est assise à une extrémité de la longue table de bois. Elle déguste lentement son thé en observant la scène. Pour une fois que ce n'est pas elle qui cuisine !

Hervé fait glisser la crêpe en forme de molécule d'eau dans une assiette, et Émile, Gabriel, Daphnée, Clément et Fannie l'applaudissent. Sur ces entrefaites, Bernard entre dans la maison, du courrier à la main.

– Je crois que nous avons des nouvelles de mamie Julia !

La dynamique vieille dame est partie en Europe depuis trois semaines. Elle leur écrit régulièrement, leur racontant ses aventures et ses découvertes. Habituellement, elle rédige sept lettres, une pour chacun de ses petits-enfants, et elle les insère dans une grande enveloppe parfumée.

Comme tous veulent ouvrir la missive de Julia en même temps, Isabella décachette l'enveloppe et assure la distribution des mots destinés à chacun. Adèle, Bernard, Clément, Daphnée, Émile, Gabriel… Mais il semble en manquer un. Où est la lettre de Fannie ? Isabella a beau secouer l'enveloppe, puis la déchirer pour examiner l'intérieur, elle ne trouve rien. La mine désolée, elle regarde sa fille qui attend impatiemment.

– Ma pauvre princesse… Je suis sûre que c'est un malentendu.

Fannie baisse la tête, déçue. Elle qui aime tant recevoir des nouvelles de sa grand-mère ! Elle garde précieusement toutes ses lettres dans le tiroir de sa table de chevet et les relit souvent.

– Mamie a peut-être échappé ta lettre avant de la mettre dans l'enveloppe ? Elle va sûrement la retrouver et te l'envoyer dans les prochains jours, ne t'inquiète pas.

Fannie se retient pour ne pas pleurer. De l'autre côté de la table, Clément lui fait une grimace moqueuse tandis que ses lèvres forment le mot « malédiction ». Irritée, la jeune fille se lève brusquement, repousse sa chaise et court se réfugier dans sa chambre. De loin, elle entend son frère qui ricane. Il se moque d'elle, bien entendu.

***

Recroquevillée sur son lit, Fannie essaie de se convaincre que sa mère a raison : « Mamie a dû laisser tomber la lettre. Ou elle a tout simplement oublié de m'écrire, pour une fois. » Ce sont des choses qui arrivent, il ne faut pas qu'elle y voie le résultat d'une malédiction, quoi qu'en dise Clément. Fannie se demande si elle devrait parler à ses parents des railleries de son frère… mais elle n'a pas envie de se faire traiter de porte-panier par Adèle et les autres. Elle n'a qu'à ignorer son frère et le problème devrait se régler tout seul.

Pourquoi ne pas se promener jusqu'au lac pour se changer les idées ? Elle pourrait essayer de battre son record de ricochets. Ragaillardie par cette perspective, Fannie se lève et troque sa chemise de nuit à volants contre des jeans roses et une tunique à froufrous.

Alors qu'elle finit de boutonner sa chemise, sa sœur Daphnée ouvre la porte (elles partagent provisoirement la même chambre depuis que leur père a entrepris de retapisser plusieurs pièces du manoir).

– Pourquoi tu es partie aussi rapidement, Fannie ?

Cette dernière n'a aucune envie de raconter à sa sœur cette histoire d'esprits vengeurs.

– Je suis triste que mamie m'ait oubliée…

– Je te comprends… Veux-tu lire ma lettre ? Mamie raconte à quel point la crème glacée est délicieuse en Italie.

– Non, non, je vais attendre de recevoir la mienne.

– Tu es sûre ? Même si je me suis bourrée de crêpes, on dirait que j'ai encore faim après l'avoir lue !

Pour changer de sujet, Fannie propose à sa sœur d'aller lancer des roches avec elle dans le lac.

– Bonne idée ! répond Daphnée. Je vais t'attendre dehors.

Fannie fouille dans son tiroir à la recherche d'une paire de bas, mais n'en voit que trois, dépareillées.

– Daphnée, crie-t-elle à sa sœur qui est déjà sortie de la pièce, sais-tu si papa a fini le lavage ?

– Mon bac de linge propre était devant mon placard hier soir, répond Daphnée depuis le bout du couloir. Mais il n'a peut-être pas encore tout terminé.

Fannie soupire et enfile deux bas différents, un rayé rose et rouge et un bleu poudre. Pourvu que le beau Lawrence, le fils des voisins, qui aime bien lui aussi se balader près du lac Majuscule, ne la voie pas dans cet accoutrement !

À la cuisine, Hervé Morse a fini la préparation des crêpes et mange maintenant tranquillement en compagnie d'Isabella, qui termine son thé. Les autres enfants ont quitté la pièce, à l'exception d'Adèle, toujours assise sur sa chaise, absorbée par son roman.

– Tu vas au lac avec Daphnée? dit l'inventeur, en voyant sa plus jeune fille attacher ses chaussures.

– Zut! s'exclame Fannie en guise de réponse.

– Qu'est-ce qu'il y a, ma princesse? lui demande Isabella d'une voix toute douce.

– Mon lacet vient de lâcher.

– Ouin, tu n'es pas chanceuse depuis hier, ma petite sœur, laisse tomber Adèle sans même quitter les yeux de sa page.

Fannie blêmit. Et si Clément avait bel et bien jeté une malédiction sur elle? « Non, non, non. Je dois garder mon sang-froid. Ce ne sont que des coïncidences. De pures coïncidences, tout simplement. »

Finalement, Fannie remplace le lacet brisé par un autre, prélevé sur sa paire de bottes. Elle a hâte de rejoindre Daphnée, qui se trouve déjà près du quai flottant.

***

À l'extérieur, la brise tiède qui fouette son visage l'aide à se calmer un peu. Le lac Majuscule est presque immobile. On n'entend que le clapotis paresseux de l'eau et le souffle léger du vent dans les herbes hautes. Fannie adore cet endroit.

Les sœurs Morse remplissent leurs poches de galets. S'approchant de l'eau, elles commencent à lancer les cailloux en essayant de leur faire faire le plus de bonds possible. Il y a quelques jours, Fannie en a réussi cinq d'affilée ! Elle espère secrètement battre Bernard qui s'est déjà rendu à neuf. Daphnée est bien la seule de la famille Morse à ne pas être habile à ce jeu. Presque tous ses galets coulent à pic.

– Je manque seulement d'un peu de pratique, dit-elle pour sa défense. Un jour, je vais être capable.

De gros nuages voilent le soleil, le fond de l'air devient peu à peu humide et Fannie commence à avoir chaud. Elle roule le bas de ses jeans, enlève chaussures et bas. Nu-pieds, elle peut se rafraîchir dans le lac sans craindre d'abîmer ses affaires.

– Ne va pas trop loin, l'avertit Daphnée. Maman ne veut pas qu'on se baigne sans la surveillance d'un adulte.

Tout à coup, le ciel s'obscurcit et un grondement sourd se fait entendre au loin.

– Il y a de l'orage dans l'air, remarque Fannie.

Des canards sauvages, qui jusqu'alors barbotaient près de la rive, s'envolent subitement. La volée passe au-dessus des jeunes filles en lançant des cris nasillards. Fannie les accompagne du regard, fascinée par ce spectacle. Une fiente atterrit sur la manche de sa tunique à froufrous et sur son poignet. La magie est rompue.

– Ouache ! Dégueulasse ! Dégueulasse ! s'écrie-t-elle, dégoûtée.

Daphnée pouffe d'un rire incontrôlable en voyant sa sœur se mettre à gesticuler. Le nez plissé, une grimace aux lèvres, Fannie plonge son bras dans l'eau pour se débarrasser de cette saleté.

– Je rentre à la maison, annonce-t-elle, sortant du lac. J'ai besoin d'une bonne douche. Et cesse de rigoler, toi !

Fannie se sent fatiguée, à bout de nerfs. Un long frisson lui parcourt le dos. Depuis la veille au soir, elle fait tout pour repousser l'idée de la malédiction lancée par son frère, mais les malchances pleuvent sur elle. Elle a la désagréable impression que les esprits vengeurs l'ont suivie jusqu'au lac.

Le pas lourd, la jeune fille regagne la berge. Elle ramasse ses bas et les enfile. Au moment de se chausser, elle voit quelque chose remuer dans un de ses souliers.

– Hiiii ! Un serpent ! hurle-t-elle en jetant la chaussure dans les buissons.

Daphnée s'arrête aussitôt de rire.

– Ben voyons donc ! Il n'y a pas de serpent ici !

« Ce sont sûrement les esprits qui ont fait ça pour me punir, songe Fannie, terrorisée. Vont-ils finir par me laisser tranquille ? »

Des larmes de colère et d'angoisse lui montent aux yeux tandis que sa grande sœur saisit une longue branche et s'approche du fourré où se trouve la chaussure. Elle la soulève doucement et aussitôt, un sourire malicieux se dessine sur ses lèvres.

– Hé, princesse ! Tu veux savoir ce qui s'y cache ?

Fannie retient son souffle.

– Un crapaud !

– Un crapaud ? répète Fannie, la voix tremblotante.

– Je n'ai pas trop envie de le tripoter… Il semble visqueux. Viens voir !

Devant les yeux agrandis de surprise et de dégoût de sa jeune sœur, Daphnée secoue le soulier. Un petit batracien tombe sur le sol et s'éloigne en bondissant.

« Pourquoi ce crapaud est-il entré dans MA chaussure ? » se demande Fannie.

– C'était sûrement ton prince charmant ! ricane Daphnée. Tu aurais dû l'embrasser.

Fannie a beau avoir des airs de princesse, elle ne touchera, et n'embrassera surtout pas, cette bestiole. Et elle en a assez d'être le sujet d'hilarité de Daphnée.

Laissant sa sœur en plan, Fannie retourne au manoir. Elle monte directement à l'étage où se trouve sa chambre. Elle rage contre Clément et sa fichue malédiction. Tout ça parce qu'elle n'a pas voulu finir une partie de Scrabble !

Lorsque Fannie se glisse sous la douche, l'eau est froide, anormalement froide. Elle tourne le robinet pour augmenter la pression d'eau chaude. En vain. L'eau reste glacée. Oh non ! Encore un ennui de plomberie ! Son père avait pourtant dit il y a quelques jours qu'il avait réglé le problème. Pourquoi TOUT va si mal aujourd'hui ? La jeune fille s'empresse de se savonner, son bras surtout. Elle sort de la douche en grelottant. Même en se frictionnant avec son grand drap de bain fuchsia, elle n'arrive pas à se réchauffer.

Il n'est que 11 heures du matin, mais Fannie a l'impression qu'il est 23 heures tant elle est fatiguée. Trop d'émotions, trop de frustrations, trop d'inquiétude. Une petite sieste devrait l'aider à se remettre les idées en place.

Fannie enfile sa chemise de nuit confortable. Déjà, elle se sent mieux. Elle tire les rideaux, accroche une affichette « Ne pas déranger » à la poignée de la porte et ferme. Elle a envie d'être seule, vraiment seule, sans ses frères ou ses sœurs, et surtout sans les esprits maléfiques du manoir. Emmitouflée dans son couvre-lit de princesse, elle s'endort aussitôt.

***

Un coup de tonnerre tire brusquement la jeune fille de son sommeil. Elle regarde son réveille-matin : il est 13 heures. Déjà ? Personne ne l'a avertie que le déjeuner était servi... Bah ! On a dû penser qu'elle avait besoin de se reposer.

Daphnée a sûrement raconté à ses parents l'épisode du crapaud et du caca d'oiseau.

Fannie referme les yeux pour savourer encore quelques instants cette douce sensation de quiétude. À demi assoupie, elle se rend soudain compte qu'il fait froid dans la pièce… et que le bas de son couvre-lit est mouillé. Ce n'est pas normal. La pluie tambourine sur le toit, mais Fannie a l'impression qu'elle l'entend aussi dans sa chambre ! Elle se tourne vers la fenêtre et voit le rideau voler au vent. La fenêtre de sa chambre était bel et bien fermée lorsqu'elle s'est endormie. La voilà maintenant grand ouverte !

Fannie se redresse dans son lit, affolée. Que se passe-t-il dans cette maison ? Pourquoi les esprits lui en veulent-ils tant ? La jeune fille n'a qu'une idée : fuir ce manoir hanté ! Elle se précipite vers la porte et tombe nez à nez avec Adèle.

– Je venais te chercher pour manger le dessert avec nous. Maman veut qu'on goûte à sa nouvelle pièce montée à la purée de marrons. Mais… qu'est-ce qu'il y a ? Pourquoi pleures-tu ainsi ?

Fannie se jette dans les bras de son aînée en sanglotant.

– Je n'en peux plus, Adèle. Les esprits se vengent, ils n'arrêtent pas de m'envoyer des malheurs. Je suis épuisée. Je veux que ça cesse, mais je ne sais pas quoi faire !

Adèle commence par fermer la fenêtre, sa sœur toujours blottie contre elle. Puis, elle lui caresse le dos, la laissant pleurer tout son soûl. Lorsque Fannie commence à se calmer, elle lui tend un mouchoir.

– Viens, on va parler un peu. C'est quoi, ces esprits vengeurs ?

Les deux filles s'assoient sur le lit de Daphnée, qui est bien sec, lui. Adèle connaît déjà l'épisode de la flûte brisée de tante Isadora, celui de la lettre oubliée et du lacet qui lâche. Fannie lui raconte aussi celui des bas dépareillés, de la fiente de canard, du crapaud dans son soulier, pour finir avec la douche froide, la fenêtre ouverte et son couvre-lit mouillé… Au fur et à mesure que Fannie déballe son histoire, les yeux de son aînée deviennent de plus en plus étincelants.

– Attends-moi ici deux minutes, ma princesse. Je pense comprendre ce qui se passe.

Quelques instants plus tard, Adèle revient, traînant par les bras Bernard et Clément qui affichent le même sourire blagueur. Fannie leur fait la tête. Elle n'a aucune envie de subir leurs moqueries. Adèle fusille ses deux frères du regard.

– Allez-y. Dites-lui. Sinon, c'est moi qui le fais.

– D'accord, d'accord…

Clément baisse le menton, un peu honteux.

– Tes malchances, c'est nous.

– Hein ? Quoi ?

– Oui. C'est moi qui ai ouvert l'enveloppe de grand-maman et qui ai pris ta lettre, avoue Bernard en lui tendant un papier rose couvert d'une écriture élégante.

Clément poursuit :

– Ce matin, pendant que Daphnée et toi vous dormiez, j'ai volé tes paires de bas, et je les ai cachées dans ma chambre. Le lacet de ta chaussure, je l'ai entaillé un peu pour l'affaiblir.

– Ils vous ont aussi suivies au bord du lac et mis le crapaud dans ton soulier, intervient Adèle sur un ton sévère.

Fannie n'en revient pas.

– C'était vous ? Tout le temps ?

– Bernard a coupé l'eau chaude quand tu es allée sous la douche, ajoute Clément.

– Et Clément a ouvert ta fenêtre tantôt, quand il a commencé à pleuvoir.

– C'était ton idée, zinzibulle ! proteste Clément.

– C'était notre idée à tous les deux, bougonne Bernard.

Tout s'explique donc… En fait, il n'y a pas d'esprits au manoir, et la malédiction que Clément lui a lancée n'a jamais fonctionné ! Fannie se sent soulagée d'un poids immense.

Adèle, qui a écouté les aveux des deux farceurs, a vraiment l'air fâchée.

– Si j'avais su ce que vous complotiez, laissez-moi vous dire que j'aurais mis un holà à vos tours stupides. Papa et maman ne seront vraiment pas fiers de vous.
– Tu ne vas pas leur raconter ?! s'exclame Bernard.
– S'il te plaît, s'il te plaît, s'il te plaît ! supplie Clément.
– Nous allons leur dire tous ensemble, tranche Adèle. Il n'y a pas et il n'y a jamais eu d'esprits vengeurs au manoir. Vous n'auriez jamais dû faire ce genre de blague à cette pauvre Fannie.

Clément peste intérieurement. Il aimerait que les esprits vengeurs existent pour vrai et qu'ils s'attaquent maintenant à leur sœur aînée, qui les oblige à déballer leur sac. Comme ils s'apprêtent à sortir de la chambre, la fenêtre s'ouvre sous l'effet d'un gros coup de vent.
– J'ai dû mal la refermer, explique Adèle.

En traversant la pièce, elle glisse dans une flaque d'eau et tombe à la renverse. Crac ! La jeune fille lance un cri de mort et se prend la cheville à deux mains.
– Aaaaaaah ! Je me suis cassé la cheville ! Allez chercher les parents ! VITE !

Inquiète, Fannie regarde sa sœur. Qui a dit que les esprits maléfiques n'existaient pas ?

# Prière de ne pas déranger

UNE HISTOIRE DE MANON PLOUFFE

Il y a de l'action dans le manoir des Morse en cette fin d'avant-midi.

– Adèle et Émile, monsieur Gohu va arriver d'une minute à l'autre, et sa chambre n'est pas prête, lance Isabella Cyrilli en glissant une plaque à biscuits dans le four.

Isabella a ouvert deux chambres d'hôte dans le manoir dont elle vient d'hériter. Son gîte touristique n'est pas encore très connu. Aussi l'annonce de la visite d'un certain Victor Gohu a-t-elle tout de suite pris des allures d'événement. Pâtissière de profession, Isabella Cyrilli met un point d'honneur à accueillir les clients avec de délicieux biscuits parfumés à la pistache. À sa demande, Fannie et Gabriel, ses plus jeunes enfants, sont allés cueillir un bouquet de marguerites, sur le rivage du lac Majuscule, pour fleurir la chambre d'hôte. Les jumeaux, Clément et Daphnée, nettoient l'écurie où logent les chevaux Mirliton et Rigodon, tandis que Bernard, l'adolescent de 13 ans, fait la grasse matinée.

Hervé Morse passe la tête dans la cuisine.

– Si vous me cherchez, je suis à l'atelier.

– Sur quoi travailles-tu, papa ? demande Émile.

– Un piège à araignées ! Tu viens m'aider, fiston ?

– Super ! J'arrive dès que j'ai fini mes céréales ! déclare le garçon, trop content d'échapper aux tâches ménagères prévues par sa mère.

***

Tandis qu'Isabella s'active aux fourneaux, Adèle, confortablement installée dans la berceuse, ne bouge pas d'un poil. Pour une fois que ses frères et sœurs lui fichent la paix, elle n'a aucune envie d'abandonner son bouquin – un recueil de nouvelles passionnant sur les malédictions – pour passer le balai dans la chambre d'hôte.

– Adèle, répète Isabella, monsieur Gohu sera bientôt là.

– Que reste-t-il à faire, maman ? interroge la jeune fille.

– Passer un linge sur les miroirs…

– Oui, oui…

– Placer un verre propre sur la table de chevet et suspendre des serviettes dans la salle de bain.

– Je m'en occupe dans cinq minutes.

Isabella Cyrilli jette un coup d'œil à l'horloge murale.

– C'est rare que je te demande cela, Adèle, mais j'ai besoin de ton aide maintenant !

L'adolescente ferme son livre en soupirant. Sa mère ne la laissera pas tranquille tant que la chambre d'hôte ne sera pas impeccable. Aussi bien se débarrasser sur-le-champ de la corvée.

– Et n'oublie pas les échantillons de savon et de shampoing !

***

Un peu plus tard, quelqu'un appuie longuement sur la sonnette de la porte d'entrée, comme si son doigt y était collé.

Émile, qui est en train de mettre ses chaussures dans le vestibule, crie :

– Je réponds, m'man !

Il est toujours curieux de rencontrer les nouveaux clients. Il se vante de pouvoir les jauger au premier coup d'œil. Ouvrant la porte d'entrée, le garçon se fige, la bouche grand ouverte.

Devant lui se dresse un homme étrange coiffé d'un chapeau melon dont s'échappe une chevelure toute blanche. Même si des nuages cachent le soleil, l'individu porte des verres fumés, et une barbe bien fournie couleur de neige masque ses traits. De taille moyenne, le visiteur arbore un ventre aussi gros que celui du père Noël. Malgré son large manteau noir – alors qu'on est en plein mois d'août –, une bedaine comme celle-là ne passe pas inaperçue.

Émile sent que quelque chose cloche chez ce client.

Isabella apparaît derrière son fils. Affichant un de ses plus beaux sourires, elle demande :

– Monsieur Gohu ?

L'homme incline la tête en guise d'assentiment et tend une main gantée qu'Isabella serre chaleureusement. D'un geste, il montre une grosse malle à ses pieds. « On dirait le coffre d'un magicien qui s'amuse à découper les gens en morceaux », pense aussitôt Émile.

– Ah ! Vous aimeriez qu'on apporte votre bagage dans votre chambre ? devine Isabella.

Toujours silencieux, monsieur Gohu hoche la tête.

Sur ces entrefaites, Adèle surgit à son tour dans l'entrée du manoir.

– La chambre est prête, maman, dit-elle en jetant un regard intrigué au nouveau venu.

– Merci ma chérie, répond Isabella. Les enfants, pouvez-vous monter le bagage de monsieur Gohu ?

Le coffre est si lourd que le frère et la sœur jureraient qu'il y a quelqu'un à l'intérieur. Malgré cela ils s'exécutent rapidement, car ils sont pressés de rejoindre leur mère qui est en train de remplir la fiche d'inscription de monsieur Gohu dans le petit bureau.

Le jeune garçon adore ce moment, précieux entre tous, où il a l'occasion de recueillir des indices sur les clients du gîte. En particulier lorsque ces derniers indiquent leur profession. Jusqu'à ce jour, une musicienne qui pianotait sur ses cuisses, un dresseur de perruches à l'appétit d'oiseau et un cordonnier toujours dans ses petits souliers ont séjourné dans les chambres d'hôte.

Descendant l'escalier quatre à quatre, Émile et Adèle font des paris sur le métier de monsieur Gohu. Depuis son arrivée, celui-ci n'a pas prononcé une seule parole.

– À croire qu'il est muet, avance Adèle. Il ne doit pas être réceptionniste.

– Ni ventriloque ni chanteur, enchaîne son frère. Il est peut-être mime…

La voix d'Isabella parvient à leurs oreilles :

– Ah ! Un écrivain ! Nous n'avions encore jamais reçu d'auteur ! Je dois vous avouer que je n'ai encore lu aucun de vos livres. Mais si vous me donnez les titres… Imaginez-vous donc que ma fille aînée rêve d'être romancière ! Peut-être pourrez-vous trouver un moment pour lui donner quelques précieux conseils ? Tiens, la voici justement ! s'exclame-t-elle en voyant apparaître Adèle dans l'encadrement de la porte.

– Voyons, maman ! la coupe cette dernière, mal à l'aise. Monsieur Gohu n'est sûrement pas venu ici pour jouer au professeur !

L'étrange client secoue la tête de haut en bas, signe qu'il approuve les propos d'Adèle. Puis, il tend une liasse de billets de banque à Isabella.

– Vous voulez régler votre facture tout de suite ? D'habitude, on paie au moment de partir…

Monsieur Gohu fait non avec son index et pose les billets sous le nez d'Isabella.

– Dans ce cas, je vais préparer votre reçu.

Le visiteur tire alors une feuille de papier d'une des poches de son manteau. Il la remet à Isabella, qui en fait la lecture tout haut :

« Souffrant d'une extinction de voix, je suis dans l'impossibilité de parler. Pendant mon séjour, je vous demande de ne me déranger sous AUCUN PRÉTEXTE. Je vais travailler sur mon prochain livre. J'ai besoin de solitude et de tranquillité. Alors, pas de ménage, s'il vous plaît. Je ferai moi-même mon lit. Je prendrai mes repas dans ma chambre. Merci de déposer plateaux-repas et serviettes propres devant ma porte, sans frapper. »

– Pas de ménage ? insiste Isabella.

– …

– Pas de repas en famille dans la salle à manger ?

– …

– Ouh ! C'est la première fois que…

– …

– Bien, nous respectons votre choix, monsieur. J'en profite pour vous souhaiter un magnifique séjour au gîte de la famille Morse. Et tenez, je vous offre des biscuits que je viens de préparer.

Monsieur Gohu saisit l'assiette couverte de biscuits encore chauds en inclinant la tête en guise de remerciements. Puis il emboîte le pas à Adèle et Émile qui le conduisent à sa chambre, dont il ferme aussitôt la porte. Quelques secondes plus tard, il l'ouvre brièvement, juste le temps d'accrocher à la poignée l'affichette : PRIÈRE DE NE PAS DÉRANGER.

– Un drôle de numéro, ce Victor Gohu, souffle Adèle.

– Très, très bizarre, approuve son frère.

La jeune fille réfléchit un instant.

– J'ai lu que les artistes ressentent souvent le besoin d'agir différemment. Pour provoquer. À moins que ce ne soit un moyen de stimuler leur créativité.

– Tu parles encore chinois, déclare Émile qui ne suit pas toujours les pensées de sa sœur.

– Laisse tomber.

– Mais comment fait-il pour endurer son manteau et son chapeau en plein été ? Il doit crever !

– Toi, tu ne comprends rien aux artistes, grommelle Adèle en levant les yeux au ciel. Un écrivain… Je me demande quel genre de livres il peut bien écrire. Sûrement pas des romans pour enfants !
– Il n'aime pas les enfants, affirme Émile avec assurance. Car quelqu'un qui les aime prend le temps de les regarder et de leur adresser son plus beau sourire !
– Je l'imagine plutôt en train d'échafauder des histoires d'horreur à la Stephen King, poursuit Adèle sur un ton rêveur. Brrr !
– En tout cas, je ne l'aime pas du tout, ce type.
– Mouais…

Soudain, un bruit de moteur interrompt leur conversation.
– Notre nouveau client a peut-être une extinction de voix, mais on va quand même l'entendre ! ricane Émile.

Un sourire se dessine sur le visage d'Adèle.
– Tu as raison, frérot. Il ronfle encore plus fort que papa ! Je n'aurais jamais cru cela possible !

Adèle et Émile portent tous deux la main devant leur bouche et s'éloignent rapidement, afin que monsieur Gohu ne les entende pas éclater de rire.

***

Deux jours plus tard, Émile a la certitude qu'une malédiction s'est abattue sur le manoir. Adèle lit et relit sans cesse la même page de son livre. Bernard ne fait plus de blagues. Clément a cessé ses acrobaties. Daphnée ne sourit plus. Fannie se dispute avec tout le monde et Gabriel refuse d'aider leur mère. C'est anormal.

Seule Isabella, d'un naturel très calme, ne semble pas affectée par la tension qui règne dans la famille.

Hervé entre dans la cuisine, l'air inquiet, en grognant. Il ouvre plusieurs tiroirs, y déplace les objets avec fébrilité, sans doute à la recherche de quelque chose.

– Quelqu'un aurait-il vu mon carnet d'esquisses ?

Le carnet en question contient les premières ébauches des nombreux projets de l'inventeur.

Comme tous les matins, Isabella est occupée à cuisiner un de ses superbes gâteaux pour la pâtisserie *Le croquembouche.* Aujourd'hui, elle met la touche finale à une pièce montée qui représente la tour penchée de Pise.

– Mon pauvre chéri, glisse Isabella, tu deviens de plus en plus distrait !

– Quelqu'un a dû le cacher ! Il est introuvable, peste Hervé en faisant des moulinets avec ses bras.

Prudemment, Isabella déplace son fragile gâteau pour le protéger des gestes nerveux de son mari.

– Personne n'a pris ton carnet. Que voudrais-tu qu'on en fasse ? On ne comprend absolument rien à ton charabia !

Hervé quitte la pièce en maugréant.

– Peut-être qu'une malédiction plane sur notre maison ? suggère Émile qui a observé la scène. Ou que quelqu'un a jeté un sort à papa ?

Adèle, installée dans la berceuse, lève les yeux de son livre, toujours à la même page depuis deux jours.

– Voyons, frérot ! De telles histoires, ça n'existe qu'au cinéma ! Ou dans les romans.

Émile fait la moue.

– À propos de roman, moi, je crois que monsieur Gohu n'écrit pas aussi souvent qu'il l'avait annoncé.

Isabella dépose délicatement une rose en sucre sur le sommet de sa Tour penchée, puis elle se retourne vers son fils, l'air intrigué.

– Que veux-tu dire ?

– Il passe ses journées à dormir.

– Tu écoutes aux portes, maintenant, Émile ?

– Pas du tout !

Adèle arbore un sourire moqueur et souffle entre ses dents :

– Ça ne serait pas nouveau !

– On n'a pas besoin d'écouter à la porte de monsieur Gohu, rétorque Émile. On entend ses ronflements depuis le bout du couloir ! Il dort presque toute la journée.

Isabella examine sa création qui penche vraiment dangereusement.

– Quelle idée m'a piquée de vouloir faire une tour de Pise ? murmure-t-elle.

Soudain, le gâteau s'écroule.
– Oh non ! s'exclament en chœur les deux enfants.

Mais Isabella ne se laisse pas démonter. Elle propose avec humour de transformer la tour écroulée en une pâtisserie représentant les ruines d'un château. Se remettant aussitôt à la tâche, elle poursuit :
– Monsieur Gohu est peut-être tout simplement épuisé, comme bien des gens de la ville. Quelques jours de repos chez nous lui feront le plus grand bien !
– Tout cela m'inspire, affirme Adèle. Je crois que je vais écrire un roman policier.
Au même instant, un hurlement provenant de l'atelier se fait entendre.
– Papa ! s'écrie Émile.
Aussitôt, le garçon se précipite hors de la cuisine, talonné par sa sœur et sa mère.

L'inventeur de la famille Morse n'a pas la réputation d'être très ordonné, mais là, son lieu de travail est carrément sens dessus dessous. Des scies sont posées pêle-mêle sur les circuits électroniques. Des morceaux de bois sont empilés sur des bobines de fils électriques. Des livres jonchent le plancher. La machine à café est même suspendue au plafond, sans doute par simple distraction ! Quant à Hervé, il fait les cent pas, les dents serrées. Du sang coule de sa main droite.

– Mais que se passe-t-il, mon chéri ?
– Il se passe, Isabella, que je n'ai toujours pas retrouvé mon carnet ! J'ai fouillé le manoir et mon atelier de fond en comble. Et je viens de me blesser avec un clou qui traînait.
– Voyons, calme-toi, propose Isabella. Je vais te soigner.
– Pire encore, se désole Hervé, j'ai aussi égaré mon mini-ordinateur !
– Ton mini-ordinateur ? répète Émile, sur le même ton que son père.
– Celui dans lequel sont inscrits les noms de tous mes contacts ! Mon avenir est fichu. Je ne vaux plus rien. C'est la catastrophe. Et la ruine assurée…

Hervé s'écroule sur une chaise, le dos voûté. Isabella s'approche et l'entoure de ses bras.
– Tout va s'arranger ! Ne t'énerve pas pour rien !
– Pour rien ? Tu sais TRÈS bien que je ne m'énerve jamais pour rien…

Isabella sourit. Elle garde pour elle ce qu'elle pense : son mari est une personne qui s'énerve très facilement.
– Mon ordinateur et mon carnet de croquis disparaissent le même jour, tu ne trouves pas ça un peu fort, toi ? Je suis sûr de ne PAS les avoir déplacés ! peste Hervé, rouge de colère.
– Calme-toi, mon chéri. On dirait que tu vas exploser.

Émile donne un coup de coude à Adèle.

– Je suis certain qu'il y a du Gohu là-dessous, murmure-t-il.
– Tu exagères, comme toujours…
– Regarde, papa ressemble à un lion en cage. Maman vient de rater un gâteau pour la première fois de sa vie ! Et nous tous, les enfants, on n'est pas comme d'habitude. Tu n'as pas remarqué ?
– Ce n'est pas parce que tu détestes monsieur Gohu depuis la seconde où il a franchi notre seuil qu'il a quelque chose à voir là-dedans !
– Je te dis qu'il est louche !
– Papa perd souvent ses affaires, rétorque Adèle. Il finit toujours par les retrouver au moment où il s'y attend le moins et dans des endroits incongrus. Rappelle-toi la fois où il a égaré sa carte de crédit.

Émile sourit. Il se souvient de l'événement. Il y a quelques semaines, alors qu'il était particulièrement dans la lune, son père avait rangé sa carte de crédit dans son étui à lunettes. Et l'étui à lunettes, dans le congélateur !

Mais aujourd'hui, le garçon sent que son père dit vrai. L'ordinateur et le carnet d'esquisses qu'on égare le même jour, c'est gros. Émile est convaincu que monsieur Gohu a une responsabilité dans cette affaire.

***

Quelques jours plus tard, Émile a la ferme intention de prouver à sa famille qu'il a raison. Son père n'a pas retrouvé ses objets disparus et, cette fois, il vient de perdre le plan d'une machine à biscuits sur laquelle il planchait depuis peu. Sa mère s'entête à préparer des pièces montées qui s'écroulent toutes les unes après les autres, alors qu'elle les réussissait à tous coups auparavant. Et Adèle qui le traite toujours de haut sous prétexte qu'il n'a que 11 ans ! Ça ne peut plus durer. Il va leur montrer qu'il est un vrai Morse débrouillard et astucieux ! Comme son père, comme ses frères et sœurs, et comme tous ses aïeux !

Avant de passer à l'action, Émile fait un petit tour à l'étage des chambres d'hôte. Des ronflements retentissent dans le couloir. Monsieur Gohu dort, comme d'habitude.

Jetant ensuite un œil dans la cuisine, Émile constate qu'Adèle écrit dans un cahier à spirale. « Elle a sûrement commencé son roman », se dit-il. À l'aide d'une spatule, leur mère aplatit une pièce montée affaissée, puis la recouvre d'un glaçage blanc.

– Je voulais faire le château de la Belle au bois dormant, explique-t-elle à Adèle, mais finalement, je transforme mon gâteau en Lac des cygnes…

Personne ne se préoccupe d'Émile. Tant mieux. Le garçon en profite pour filer dehors. Il pose un seau de métal au milieu de l'allée, dans un endroit dégagé et couvert d'asphalte. De sa poche, il sort une grosse chandelle qu'il allume et fixe au fond du récipient. Il ajoute autour des feuilles de papier journal. Cela fera une belle flambée.

Juste assez pour créer une diversion. L'incendie sera sous contrôle et ne risquera pas de détruire quoi que ce soit.

Deux minutes plus tard, Émile se précipite dans la maison en hurlant :
– Au feu ! Au feu !
Isabella échappe sa spatule sur le glaçage. Adèle se lève d'un bond, serrant son cahier sur sa poitrine. Hervé entre en trombe dans la cuisine.
– Le feu ? Où ça, le feu ?

Émile montre par la fenêtre les flammes qui crépitent à l'extérieur de la maison. Hervé ouvre aussitôt la porte du frigo et s'empare du pichet rempli d'eau. Il court à toute vitesse éteindre ce début d'incendie. Les trois autres se précipitent à sa suite.
– Je n'aime pas ça, grogne Hervé en regardant à droite et à gauche, inquiet, devant le seau fumant. Quelqu'un a allumé un feu ici. Volontairement.
Isabella sursaute.
– Quoi ? Heureusement que le reste de la famille est au lac !
– Oui, mais nous avons un client à l'intérieur du manoir, souligne Hervé. Donne-moi la clé de sa chambre. Vite !
– Il a exigé de ne pas être dérangé, explique Isabella. Il doit être en train de dormir.

– De ronfler, précise Émile.
– Et si le manoir se met à brûler, s'exclame Hervé, il faut laisser dormir notre client ?
– Voyons, Hervé. Ce n'était qu'un petit feu…
– Tu trouves ça normal, toi, un seau avec des flammes au milieu de l'entrée ? Dieu sait ce qui se prépare. Je ne suis pas tranquille.
– Tu veux qu'on appelle les pompiers ?
– Pas pour l'instant, Isabella. Mais réveiller ce ronfleur de Gohu et le prévenir, oui !

Pendant que leurs parents discutent, Adèle regarde son frère Émile avec un air soupçonneux. Elle se doute qu'il est pour quelque chose dans cette affaire.

Les quatre Morse se rendent en procession à la chambre du visiteur. Hervé frappe à la porte. N'obtenant aucune réponse, il insère la clé dans la serrure et entre.

Une femme mince, la bouche mauvaise, darde sur lui son regard d'acier. À ses côtés, un appareil branché au mur diffuse en continu de profonds ronflements.
– Herrrrvé Morrrse, je te maudiiiiiiiiiis !

La femme a une voix si stridente qu'Émile et Adèle se bouchent les oreilles. Mais son cri est d'une intensité exceptionnelle. Et le verre, posé sur la table de chevet, éclate en mille morceaux.

Hervé n'en croit pas ses yeux.
– Greta ! murmure-t-il.

La furie explose. Dans ses propos hystériques, on comprend vaguement qu'elle a tenté de jeter un maléfice sur Hervé et sur toute sa famille.

À ces mots, l'inventeur devient rouge de colère et s'écrie:

– Ah ! C'est pour ça que tout va mal pour nous depuis ton arrivée, Greta Dolnikova ? Mais je t'ai démasquée, une fois de plus.

Furieuse, Greta bondit sur lui, dans l'intention de l'étrangler. Heureusement, Hervé est plus grand et plus fort qu'elle et parvient facilement à se libérer de son emprise. Tout au plus a-t-elle réussi à lui égratigner un peu la joue.

– Je n'ai pas dit mon derrrrrrnier mot, Herrrrvé Morrrrse !

Obligée de reconnaître sa défaite, la mégère lance un dernier hurlement de rage avant de se précipiter hors de la chambre, abandonnant tout derrière elle.

Personne ne tente de la rattraper. Un instant plus tard, on entend sa voiture démarrer et les pneus crisser sur l'asphalte.

Le calme est revenu dans la pièce. Isabella tente alors d'imiter la voix suraiguë et l'accent de Greta :

– Des explications s'imposent, Herrrrvé, tu ne crois pas ?

– Avant, je crois que mon frérot a quelque chose à avouer, intervient Adèle, en pointant un index accusateur vers le garçon.

Mais Émile bombe le torse fièrement. Il affirme qu'il n'a jamais eu confiance en ce monsieur Gohu. Il a décidé de vérifier si ce client n'était pas l'auteur des vols d'objets. La seule façon de le savoir était de le faire sortir de sa chambre afin de la fouiller.

– C'est là que j'ai eu l'idée d'allumer un feu pour créer une diversion. Mais je ne m'attendais pas à trouver une femme à la place de monsieur Gohu !

– Bon, dit Isabella en se tournant vers son mari. D'où sort cette chipie ?

Hervé explique qu'il connaît Greta Dolnikova depuis des années. Cela remonte avant même sa rencontre avec Isabella. Autrefois, Greta a travaillé pour lui, comme assistante. Mais il s'est aperçu qu'elle tentait de lui voler ses projets. Alors, il l'a congédiée.

– Mettre à la porte une telle furie ! J'admire ton courage, mon chéri ! le complimente Isabella.

Dans la malle abandonnée par Greta, on récupère le carnet d'esquisses, le mini-ordinateur ainsi que le plan de la machine à biscuits. On découvre aussi des sachets de plastique contenant les cheveux de tous les membres de la famille Morse. En plus d'un grimoire de maléfices. Et une vieille photo montrant Greta et Hervé, plus jeunes d'une vingtaine d'années.

Sur le lit gisent le chapeau melon, auquel est fixée une perruque de longs cheveux blancs, et la barbe couleur de neige. Il y a aussi l'oreiller qui servait de ventre postiche.

– Finalement, Adèle, je suis content que ce soit toi qui écrives un roman ! s'exclame Émile. Si on devait attendre celui de monsieur Gohu, les poules auraient des dents avant qu'on puisse le lire !
– Pour une fois, Émile, je m'incline devant ta perspicacité et ta débrouillardise. Tu es un vrai Morse, et je suis fière de t'avoir comme frère ! le félicite sa sœur.
Hervé feuillette son précieux carnet.
– Maintenant que j'ai retrouvé mes esquisses, je retourne sans tarder à mon piège à araignées.
– Et moi, je vais créer un nouveau gâteau, déclare Isabella. Il portera le nom de Gohu ! Ce sera un faux père Noël. Avec un manteau noir trop grand, et une barbe et des cheveux blancs. Chocolat et vanille, ça vous va ?

Quant à Émile, il parcourt attentivement le grimoire de maléfices abandonné par Greta. Il aimerait y trouver un truc pour jeter un mauvais sort à Adèle. Un minuscule mauvais sort…

# L'orteil maudit

UNE HISTOIRE DE LOUISE TONDREAU-LEVERT

Tout commença le jour où Gabriel, le plus jeune enfant de la famille Morse, se fit enlever le sixième orteil qu'il avait au pied gauche. Une intervention minime ne nécessitant qu'un court séjour à l'hôpital. Gabriel avait ronchonné. Il aurait préféré garder ce doigt de pied supplémentaire, grâce auquel il pouvait gribouiller des dessins farfelus !

D'un autre côté, le sixième orteil creusait toujours un trou dans ses souliers gauches, et l'empêchait de chausser des patins.

Gabriel avait affublé chacun des orteils de son pied gauche du nom de ses six frères et sœurs. Le gros orteil s'appelait Adèle comme l'aînée de la famille. Le second,

Bernard-le-Clown. Les troisième et quatrième portaient le nom des jumeaux, Clément et Daphnée. Le cinquième avait été baptisé Émile. Et, enfin, son sixième orteil se nommait Petite Fannie.

Quand le projet d'enlever son sixième orteil avait surgi, Gabriel avait tremblé pour sa sœur. Supprimer son Petite Fannie ne risquait-il pas de lui porter malheur ?

Le sixième orteil du garçon devait disparaître, car il causait des tracas à ses frères et sœurs. Ces derniers ne s'en plaignaient jamais, mais Gabriel savait qu'ils sacrifiaient quelques sorties – en particulier l'hiver ! – parce qu'il ne pouvait pas les suivre à cause de son handicap. Aussitôt que le sixième orteil prenait l'air, leur mère devait augmenter sa production de gâteaux pour *Le croquembouche,* car la vente de ses pâtisseries lui permettait d'offrir de nouvelles chaussures à son benjamin. Pour économiser, Isabella Cyrilli aurait préféré n'acheter que des souliers gauches. Mais, il lui aurait fallu trouver un enfant portant la même pointure et comptant six orteils au pied droit. Et à Bradel, il n'y en avait pas !

Heureusement, Isabella pouvait compter sur la vente de ses gâteaux que les clients de la boulangerie-pâtisserie trouvaient aussi délicieux qu'originaux. Une fois, à la suggestion de Gabriel, elle avait même préparé pour son anniversaire un gâteau en forme de pied à six orteils.

Malheureusement, cette petite plaisanterie avait causé un malaise parmi les invités qui avaient appris à cette occasion que le garçon souffrait d'une malformation. Bien sûr, Isabella évitait ce genre de blagues avec les pâtisseries destinées au *Croquembouche.*

***

Au moment même où Petite Fannie fut ôté par le chirurgien, des intempéries d'une violence inhabituelle se déchaînèrent sur Bradel.

Tout d'abord, une décharge électrique troua un énorme nuage noir, suivie d'un grondement épouvantable. Cela n'avait sans doute rien à voir avec l'intervention que subissait Gabriel, mais c'est un fait : l'orage éclata à cette minute précise.

À l'hôpital, le courant lâcha. Bien sûr, une génératrice prit rapidement la relève dans le bloc opératoire. Plongée dans la pénombre de la salle d'attente, Isabella, habituellement d'un naturel très calme, s'inquiétait pour son fils. « Oh non ! Le chirurgien réussira-t-il facilement, s'il opère Gabriel à la lueur d'une lampe de secours ? » Isabella avait un autre souci. Bien que les sachant sous la surveillance de leur père, elle eut une pensée pour ses six autres enfants restés à la maison.

– Hervé est si distrait…, murmura-t-elle.

Les éclairs zébraient le ciel. La pluie tambourinait contre les vitres.

– Aaaah ! cria-t-elle, alors qu'un coup de tonnerre particulièrement violent retentissait dans la salle d'attente.

Isabella avait hâte de reprendre une vie normale. Si l'on peut considérer comme une vie normale le fait d'être l'épouse d'un inventeur et la mère de sept enfants, d'avoir hérité d'un manoir et de confectionner de drôles de gâteaux !

***

Pendant ce temps, dans le domaine des Morse…

Les jumeaux Clément et Daphnée furent surpris par l'orage alors qu'ils faisaient une randonnée équestre dans la campagne environnante. Effrayé par un éclair, Mirliton rua. Le cheval envoya valser Clément dans le fossé, lui pourtant reconnu pour être un habile écuyer. Délesté de son cavalier, l'animal déguerpit au grand galop vers le lac Majuscule. Heureusement, Rigodon avait gardé son calme, lui. Daphnée dirigea sa monture vers le fossé d'où sortait Clément, les lunettes de guingois sur son nez.

– Tu es blessé ? s'inquiéta la jeune fille en voyant son frère boitiller.

– Non, non, rien de grave ! répondit le casse-cou de la famille Morse en hurlant, afin de dominer le bruit du vent.

Daphnée fit monter son frère derrière elle. Ils se mirent à l'abri dans une vieille grange le temps que l'orage passe.

Une fois au sec, les jumeaux parlèrent de « bébé Gabriel ». Ils sourirent à l'évocation de ce surnom, convaincus que Gabriel aurait ragé s'il les avait entendus le nommer ainsi. C'est pourtant avec affection qu'ils pensaient à leur petit frère en ce moment. Cet orage était si violent ! Cela allait-il compromettre son opération ?
– Maman a sûrement appelé papa pour lui raconter comment ça s'est passé… J'ai hâte d'avoir des nouvelles, dit Daphnée.
– Alors, rentrons à la maison, proposa Clément.
– Tu es complètement fou, riposta Daphnée en regardant les cieux déchaînés.

Mais son intrépide frère la prit par le bras et l'entraîna au cœur de la tourmente.

Au manoir aussi l'électricité manquait. Les communications étaient coupées. Adèle, Bernard, Émile et Fannie s'étaient rassemblés dans la salle à manger d'où ils observaient l'inquiétant spectacle par une fenêtre. Dehors, les volets battaient au vent, cognant durement contre les murs. La grêle tombait dru. Des éclats de glace gros comme des billes martelèrent toiture et parterre, détruisant les plates-bandes de fleurs de leur mère. Privée de ces taches de couleurs, la maison semblait s'éteindre. Elle paraissait terne et morne au milieu du jardin. Autour, poussées par les rafales, d'étranges ombres flottaient dans l'air. Les quatre jeunes échangeaient des regards inquiets. Heureusement, leur père n'était pas loin, à vingt pas seulement dans son atelier. À cause de la violence de l'orage, il devait hésiter à traverser la cour pour venir les rejoindre. Mais dans quelques minutes, il serait auprès d'eux.

***

Gabriel se réveillait doucement dans son lit d'hôpital.

– Gri-Gri, bredouilla-t-il.

Sa mère lui donna son ourson en peluche.

– Tiens, mon chéri. Tu as été si courageux.

Ensuite, elle lui fit un câlin en murmurant « Je t'aime très fort ! » à son oreille.

Gabriel retomba bientôt endormi. Isabella quitta la chambre sur la pointe des pieds puis se pressa vers le hall d'entrée de l'établissement pour téléphoner à la maison. La famille devait attendre des nouvelles du petit. Son appel resta sans réponse. Pas un instant Isabella ne pensa que l'orage brouillait les communications. Elle se dit plutôt que quelque chose ne tournait pas rond au manoir. Mais avec Gabriel qui était alité, elle ne pouvait pas s'éloigner. De toute façon, tant que sévissaient ces épouvantables intempéries, il valait mieux rester où elle était.

***

Quand la grêle cessa, Hervé Morse quitta son atelier. Il avait hâte de rejoindre ses enfants. À son grand éton-

nement, il trouva la maison vide. Il fouilla en vain les 26 pièces du manoir :
– Adèèèle ! Clémeeent ! Daphnéééé ! Bernaaard ! Émiiiile ! Fanniiiiie !

« Bon, ils sont sûrement avec les chevaux », se dit-il avant de s'élancer sous la pluie battante vers l'écurie.

Il fut déçu en trouvant ce lieu tout aussi désert que le manoir.
– Mirliton et Rigodon ne sont pas là eux non plus, murmura Hervé devant les stalles vides.

Il en conclut qu'au moins deux de ses enfants – Daphnée, la passionnée d'équitation, et son inséparable jumeau Clément – étaient partis en promenade.

Il fut rassuré pour les jumeaux, sachant qu'il y avait sur la propriété plusieurs endroits pour s'abriter, dont une grange. Mais où donc étaient passés les quatre autres ?

Hervé se mit à raisonner à voix haute :
– Adèle est une fille responsable. Elle a certainement emmené Bernard, Émile et Fannie en lieu sûr… Pourtant, le manoir est un lieu sûr ! Ou bien les jeunes ont paniqué et pour les calmer, Adèle a décidé de leur trouver une cachette quelque part. Mais elle aurait dû m'avertir…

Inquiet, Hervé fronça les sourcils. Les enfants auraient-ils marché jusqu'au village, à au moins deux kilomètres de la maison ? Ridicule ! Se seraient-ils rendus chez leurs amis

et voisins Kimberly et Lawrence ? Possible. À moins qu'ils se soient réfugiés dans l'un des passages secrets du manoir ?
– Quelle affaire ! pesta-t-il en entrant dans le tunnel qui reliait l'écurie à la maison.

Personne ! Il emprunta ensuite le passage souterrain entre la cuisine et le grand salon. Vide ! Il se rendit à l'étage, poussa une porte dissimulée dans un mur et s'y engouffra. Il aboutit dans la chambre principale. Toujours personne ! Hervé Morse avait perdu sa bonne humeur habituelle. Il avait chaud. Ses petites lunettes rondes étaient pleines de buée. Son cœur battait la chamade.

Soudain, il entendit du bruit provenant de la pièce voisine.
– Les enfants ! cria-t-il, reprenant espoir.

Mais ce soulagement ne dura pas : c'était Alphie le chat qui venait d'attraper une souris. Hervé réfléchit : si Adèle et les autres ne se trouvaient pas à l'intérieur du manoir, c'est qu'ils étaient forcément dehors. Il se précipita dans le grand escalier menant à la porte d'entrée et l'ouvrit à la volée.
– Ahhhh ! hurla-il en voyant deux ombres sur le seuil.
– Papa ? répondirent en chœur Clément et Daphnée.

Trempés et à bout de souffle, les jumeaux se réfugièrent dans les bras de leur père.
– Désolé, p'pa, mais notre Mirliton s'est sauvé, annonça Clément.

– Et nous avons dû abandonner Rigodon qui refusait de nous suivre, ajouta Daphnée, le visage piteux.
– Tout ça, ce n'est pas bien grave, dit Hervé. Il y a pire. Je ne trouve plus vos frères et sœurs. Savez-vous où Adèle a pu les emmener ?

Clément et Daphnée connaissaient tous les recoins de la maison. Ils se consultèrent du regard et s'exclamèrent d'une seule voix :
– Sous le plancher de la remise !
– Quoi ?! s'étrangla Hervé Morse.
– Sous le plancher de la remise, il y a une pièce avec une maison de poupée, précisa Clément.
– Et Fannie adore y jouer, ajouta Daphnée
– Voyez-vous ça ! s'écria leur père. Allons-y !

***

Pendant que le trio soulevait une trappe dans le plancher de la remise pour rejoindre les autres membres du clan des Morse, dans son lit d'hôpital le petit Gabriel serrait très fort Gri-Gri. Le garçon était inquiet, car sa mère ne se trouvait plus à son chevet. Il redoutait le regard bleuté de l'infirmière de garde. Il détestait l'odeur de médicament et de désinfectant qui planait dans l'air. Et surtout, il craignait l'orage !

Résolu à retrouver sa mère, le jeune garçon se décida à marcher sur son pied fraîchement amputé du sixième orteil. Il glissa son autre jambe hors du lit et la posa par terre.

Gabriel fut surpris de constater que son pied acceptait son poids. Il ressentait bien un petit tiraillement là où aurait dû se trouver le sixième orteil, mais rien de grave. Il marchait presque sans boiter malgré le pansement ! Profitant que l'infirmière de garde était occupée dans une chambre voisine, Gabriel se lança à l'aventure dans le dédale de corridors de l'hôpital.

Après avoir essayé maintes fois et sans succès de joindre sa famille au téléphone, Isabella réalisa qu'elle avait l'estomac à l'envers. Pas étonnant, elle n'avait rien mangé de la journée ! Elle décida d'aller prendre une bouchée à la cafétéria du deuxième sous-sol, pendant que Gabriel dormait. À cause de la panne d'électricité, on ne put lui fournir un repas chaud. Elle dut se contenter d'un sandwich et d'un jus. Décidément, rien ne se passait comme prévu aujourd'hui.

Quand Isabella retourna à la chambre, elle découvrit un lit vide. Incrédule, elle vérifia dans la salle de bain, puis dans le couloir… Gabriel avait disparu !

Elle se précipita vers le poste de garde en vociférant.

– Où est mon enfant ?

Irritée, l'infirmière répondit d'une voix moqueuse :

– Dans son lit, madame Cyrilli.

– Justement ! Il n'y est pas ! Pourquoi pensez-vous que je vous pose cette question ?

Déstabilisée, l'infirmière entra dans la chambre et constata par elle-même l'absence du jeune patient.
– Votre fils ne peut pas être bien loin, marmonna-t-elle. Il ne tient même pas debout.
– On l'a kidnappé, alors ?! s'exclama Isabella sur un ton accusateur.

L'infirmière ferma les yeux un instant. Si, en plus de cette panne d'électricité, il lui fallait avoir sur les bras un enlèvement d'enfant et une mère désespérée… Vraiment, elle avait hâte que son quart de travail finisse.
– Mais non, mais non, madame, fit-elle, rassurante. Ne vous en faites pas, nous le trouverons d'ici quelques minutes.
– J'y compte bien, répondit Isabella, avant de s'effondrer sur la chaise près du lit de Gabriel et d'éclater en sanglots.

L'infirmière fouilla les cinq chambres voisines de celle de Gabriel, en vain. Elle lança ensuite un avis de recherche aux gardiens de sécurité et au personnel des autres étages. Puis, armée d'une lampe de poche, elle fit le tour des chambres, cagibis, placards et autres réduits du troisième étage. Où diable cet enfant pouvait-il bien être ?

***

Au manoir, Hervé Morse était loin de se douter que son petit dernier manquait aussi à l'appel. Avec les jumeaux, il fouillait la cachette sous la remise. La maison de poupée, de la taille d'un cabanon, était vide, tout comme le reste de la pièce.

– Enfer et damnation ! s'écria Hervé, exaspéré. Où sont-ils passés ?

Voyant leur père au bord du découragement, Clément et Daphnée échangèrent un regard plein de sous-entendus. Hervé s'en aperçut.

– Que me cachez-vous ?

– Eh bien, commença Daphnée, il y a un autre passage secret… le tunnel ma…

Son frère lui coupa aussitôt la parole :

– Seulement, c'est réservé aux initiés !

– Si je vous suis bien, commenta Hervé Morse, vous êtes initiés, et moi, pas.

– Au fond, tu mériterais d'être initié, dit Daphnée, car tu n'es pas comme les autres pères.

– Ouais, tu inventes des trucs invraisemblables, renchérit Clément, mais ce qu'il y a…

– Ce qu'il y a ? interrogea Hervé.

– C'est que tu es tout de même un adulte…, fit Daphnée, hésitante.

– Et… ?

– Et les adultes ne comprennent rien aux histoires des enfants ! Voilà ! s'exclama Clément.

– Vous avez l'intention de me laisser poireauter longtemps ? Vous oubliez que vos frères et sœurs ont disparu ! explosa Hervé, à bout de patience.

– Ils sont sûrement dans le tunnel magique, admit Daphnée.

– Le tunnel magique ? répéta leur père, les yeux écarquillés derrière ses lunettes rondes.

– C'est plus qu'un simple passage secret… Il suffit de lui dire où on veut aller, et il nous y mène, expliqua Clément.

Hervé Morse resta sans voix.

– Mais il faut y croire ! précisa Daphnée.

Homme de science et de rigueur, l'inventeur doutait beaucoup de l'existence de ce tunnel magique. Ses enfants débordaient d'imagination, une belle qualité, mais cette fois, ils dépassaient les bornes !

– Bon, je vais aller faire une déclaration au poste de police. Il faut entreprendre des recherches sérieuses. Et sans tarder !

Le ton tranchant de leur père ôta à Clément et Daphnée toute envie d'argumenter. Les jumeaux le suivirent docilement jusqu'à la maison, où ce dernier les enferma dans une chambre. Il leur interdit d'emprunter tout passage secret ou tunnel mystérieux.

– Je veux vous savoir en sécurité pendant mon absence. Point final.

***

En route vers le poste de police, Hervé Morse décida de faire un crochet par l'hôpital. « Je vais prendre des nouvelles de Gabriel et informer Isabella de la disparition de nos enfants. Elle saura peut-être où ils se cachent », se dit-il.

La pluie tambourinait contre le pare-brise, et l'eau giclait sous les roues.

Bientôt, le véhicule fut immergé jusqu'au bas des portières. Heureusement, l'inventeur avait muni sa camionnette d'un dispositif lui permettant de se propulser dans l'eau. Sans cela, il lui aurait été difficile de se rendre jusqu'à l'hôpital.

Hervé Morse arriva enfin à l'étage des chirurgies d'un jour, où il aperçut Isabella rongeant son frein, l'air tendu, arpentant de long en large le corridor. Il eut un pincement au cœur en voyant son épouse dans tous ses états. Elle qui gardait son calme en toutes circonstances ! Quelque chose était-il arrivé à leur fils ?

Quand elle vit son mari, Isabella lui sauta au cou. Sans même le laisser parler, elle raconta que Gabriel s'était volatilisé.

– Lui aussi ?

Isabella pencha la tête vers l'arrière et regarda son mari d'un air perplexe.

– Comment ça, lui aussi ?

Hervé lui expliqua que les jumeaux les attendaient à la maison, mais que les quatre autres enfants avaient disparu.

– Ils sont sûrement dans un des passages secrets ! s'exclama Isabella.

Hervé secoua la tête.

– Je les ai tous fouillés !

– Tu as dû en oublier un, insinua son épouse.
– Les multiples passages secrets du manoir n'ont plus de secret pour moi ! protesta le chef de famille. Il y en a un sous la remise qui cache une maison de poupée. Un autre qui mène à notre chambre. Un troisième relie la cuisine et le grand salon. Puis, il y a le tunnel entre la maison et l'écurie. J'ai fait le tour, Isabella ! Et surtout, ne me dis pas que tu crois à cette histoire de tunnel magique qui mène où l'on désire aller !

Isabella savait que son conjoint n'était pas du genre à croire à ces chimères. Pourtant, cette fois, elle devait lui faire admettre l'inadmissible.
– Le tunnel magique existe. Je l'ai déjà emprunté !

À cet instant, des éclairs aussi électriques que ceux qui zébraient le ciel de Bradel traversèrent les yeux d'Hervé Morse. Il ignora les propos de son épouse et déclara :
– Nous avons le devoir d'annoncer la disparition de cinq de nos enfants aux policiers !

Isabella jugea inutile de le contrarier. De toute façon, Gabriel demeurant introuvable, elle avisa l'infirmière de son départ et s'assura que celle-ci avait un numéro de téléphone où la joindre si leur fils réapparaissait. Puis elle suivit son mari. Au fond d'elle-même, la pâtissière commençait à avoir une petite idée de l'endroit où Gabriel avait pu se réfugier…

***

Une fois à l'extérieur, le couple dut affronter l'orage pour atteindre la camionnette. Réfugiés dans l'habitacle, juste comme Hervé allait démarrer le moteur, Isabella proposa :
– Tu n'as pas envie d'essayer le tunnel magique avant d'aller au poste de police ?
– Tu n'es pas sérieuse !

Et avant que son mari ne sorte de ses gonds, Isabella lui raconta son expérience.

*« Ce jour-là, tout allait de travers. Je manquais de farine pour cuisiner une des pièces montées que je devais livrer avant 18 heures. Gabriel était fiévreux, donc impossible de le laisser sans surveillance pour me rendre à l'épicerie. Tu n'étais pas là et Adèle non plus. J'ai pensé emprunter de la farine à la voisine mais cette dernière était à son travail. Il était plus de 15 heures lorsque Adèle est enfin revenue de l'école. Je n'avais pas le temps de faire l'aller-retour jusqu'au village, terminer le gâteau, le faire cuire et le décorer pour le livrer à l'heure prévue au* Croquembouche *avec le reste de ma production de la journée. J'étais découragée !*

*C'est à ce moment-là qu'Adèle m'a parlé du tunnel magique.*

*– Je peux me rendre au* marché Majuscule *en moins de deux, si tu veux.*

*– Impossible ! Tu n'as même pas ton permis de conduire.*

*– Viens avec moi, tu verras !*

*Je n'avais rien à perdre, alors j'ai suivi notre fille aînée, et comme j'allais l'interroger, elle s'est s'engouffrée dans la paroi rocheuse juste derrière notre propriété et a disparu. Un instant plus tard, elle revenait avec un sac de farine dans les bras. Je n'arrivais pas à comprendre ce qui venait de se passer.*

*– La farine était cachée ici ?*

*– Pas du tout ! La preuve, voici la facture datée d'aujourd'hui.*

*La facture indiquait même l'heure de l'achat, soit une minute plus tôt ! J'ai inspecté le rocher. Il était couvert de mousse, mais tout à fait normal. Pas le moindre bouton ni la moindre porte visible à l'œil nu. Adèle me fit remarquer une fissure à la base du rocher.*

*– Il suffit de se placer devant, m'assura-t-elle, et la fissure s'ouvre. Ensuite, tu entres dans le tunnel, et tu annonces où tu veux aller.*

*Toujours incrédule, je suis retournée à la maison confectionner ma pièce montée. Quand j'ai eu terminé, il me restait encore à livrer les desserts à la pâtisserie. Plus que dix minutes avant la fermeture ! Les clients devaient s'impatienter. Adèle a placé les gâteaux sur le chariot et m'a mise au défi.*

*– Utilise le tunnel, ça ira plus vite !*

*Au point où j'en étais... Avec ma précieuse cargaison, je me suis dirigée vers le rocher. Je me suis tenue devant la fissure et, comme notre fille l'avait promis, la paroi s'est ouverte. À l'intérieur, je n'ai eu qu'à donner ma destination et je me suis immédiatement retrouvée devant le* Croquembouche. *Bien sûr, on m'y attendait de pied ferme, mais la grogne des clients s'est vite dissipée à la vue de mes gâteaux. J'avais réussi ! Une fois la livraison effectuée, j'ai réalisé que je devrais rentrer à la maison. Mais va savoir comment, quelques minutes plus tard, j'étais assise dans la cuisine devant nos sept enfants. Adèle me regardait en souriant.*

*– Alors ? As-tu aimé ton voyage ?*

*Comme je ne comprenais toujours pas comment ce mystérieux tunnel fonctionnait, j'ai grimacé.*

*– Je ne suis pas certaine…*

*Je n'avais pourtant pas rêvé. Les pièces montées n'étaient plus sur le comptoir de la cuisine. Mieux ! J'ai trouvé un courriel de remerciement de la part de madame Grisol dans ma messagerie. Les gâteaux avaient bel et bien été livrés.*

*Toujours perplexe, j'ai demandé aux enfants de ne pas t'en parler. Je leur ai dit que je m'en chargerais au moment opportun. »*

Hervé Morse avait écouté Isabella sans intervenir. Même s'il savait son épouse saine d'esprit, il doutait de la véracité de ses propos. L'homme de science avait besoin de preuves concrètes. En leur absence, il ne pouvait croire à de telles balivernes.

Comme il se taisait, Isabella risqua :
– Si tu le voulais, nous pourrions rentrer chez nous en un rien de temps…

Le « non ! » de son mari emplit l'habitacle de la camionnette. Hervé Morse démarra sur les chapeaux de roue en direction du poste de police.

Son élan fut rapidement coupé. La prudence commandait de ralentir. La tempête faisait toujours rage, déversant des trombes d'eau sur le village de Bradel. Le vent soufflait si fort que les branches des arbres fouettaient le sol. Plusieurs se brisaient et gisaient au milieu des parterres comme des bras morts. Soudain, un énorme chêne se renversa dans la rue, bloquant l'intersection qui menait au poste de police. Impossible d'avancer ! Le couple n'avait plus le choix : il fallait rebrousser chemin.

Hervé Morse fit demi-tour et conduisit en silence jusqu'à l'hôpital. Il reprit sa place dans le stationnement. Isabella et lui coururent s'abriter à l'intérieur, espérant au moins une bonne nouvelle. Ils se croisaient les doigts pour que le personnel ait retrouvé Gabriel ! Trempés et à bout de nerfs, ils se prirent par la main, souhaitant très fort passer par le tunnel magique pour se retrouver dans le nid familial, entourés de leurs enfants.

– Maman ! Papa !

Isabella et Hervé ouvrirent grand les yeux. Ils étaient chez eux ! Les enfants étaient tous là ! Y compris Gabriel, rentré sans doute par le même moyen que ses parents, c'est-à-dire en souhaitant très fort revenir à la maison en passant par le tunnel magique. Ce même tunnel dans lequel Adèle, Bernard, Émile, Fannie avaient dû se réfugier durant l'orage…

– Comment est-ce possible ? ne cessait de répéter Hervé.

Mais, pour une fois, il ne cherchait pas à comprendre. Tant pis pour les preuves scientifiques, du moment qu'il pouvait serrer sa femme et ses enfants dans ses bras.

Puis, Gabriel annonça :

– Il faut retourner à l'hôpital !

– Oh non ! protesta Isabella. Et pourquoi donc ?

Fannie enleva son chausson gauche et agita six orteils.

– Catastrophe de catastrophe ! explosa sa mère. Ça ne finira donc jamais ?

Isabella remarqua d'abord le sourire en coin d'Hervé, puis le rire étouffé des enfants.

– C'est pas vrai ? Dites-moi que ce n'est pas vrai !

Fannie enleva le faux orteil en plastique que Gabriel lui avait collé au pied gauche. Et toute la famille Morse rit de bon cœur !

# Le grand tour du Malmont

UNE NOUVELLE D'ÉTIENNE POIRIER

– Maman !

Ces randonnées en famille sont une véritable malédiction. Bon, j'exagère un peu, elles peuvent parfois être agréables. Mais aujourd'hui, assise sur cette souche, une douleur lancinante au pied droit, seule au bord du sentier désert, la colère m'habite.

– Maman !

C'est encore une des lubies de mon père qui m'a entraînée dans cette mésaventure…

***

Tout a commencé alors que j'étais allongée dans l'herbe fraîche au bord du lac Majuscule. Je me trouvais près du quai, à guetter le passage des oies sauvages. Mon livre préféré, *Le merveilleux voyage de Nils Holgersson à travers la Suède*, était ouvert sur ma poitrine, quand mon frère Émile m'a tirée de ma rêverie.

– Adèle ! Adèle !

Il haletait d'avoir couru et peinait à reprendre son souffle.

– Adèle ! Viens ! Papa a fini sa nouvelle invention !

Mon père est inventeur. Il imagine et conçoit des tas d'objets grâce auxquels il rêve de faire fortune un jour. Comme cette bicyclette à deux étages que nous utilisons parfois pour nous rendre au village ou le pédalo sous-marin offert aux jumeaux pour leur anniversaire. Les pauvres, ce pédalo a bien failli leur coûter la vie quand il s'est rempli d'eau au beau milieu du lac… Une légère défaillance technique qui a causé tout un émoi !

Quand mon père finalise un projet, il en fait toujours un événement. Mon frère Émile, qui lui voue une admiration sans borne, se met alors dans un tel état d'excitation qu'on pourrait se demander s'il a toute sa tête. Enfin…

Un voilier de bernaches traversait le ciel en cacardant. Ça me déchirait de quitter le quai juste à ce moment. Je me suis quand même levée et j'ai suivi mon jeune frère jusqu'au manoir.

Émile me pressait en me tirant par la manche. Il a sautillé jusqu'à la cuisine où Bernard, Fannie, Gabriel et les jumeaux nous attendaient. Une odeur de vanille émanait du four : la grande pâtissière Isabella Cyrilli, ma mère, venait de terminer un gâteau. Ça sentait délicieusement bon, mais il y avait de la farine partout. J'ai préféré garder mon livre à la main. Maman a essuyé ses doigts sur son tablier et est venue nous rejoindre à la table.

Les yeux d'Émile étincelaient.

– Ça y est, tout le monde est là. Tu peux venir, papa !

Au bout d'un instant, un bruit de pas lourds s'est fait entendre, comme si une créature énorme se déplaçait dans la maison en martelant le sol.

La même expression inquiète s'est affichée sur le visage de mes frères et sœurs.

Seul Émile trépignait de joie. Quant à maman, elle semblait calme, comme à son habitude.

Puis, il a fait son entrée, le génial inventeur : Hervé Morse ! Le torse bombé dans son sarrau blanc, l'œil pétillant derrière ses petites lunettes, il a ouvert grand les bras et s'est écrié :

– Tadam !

La farine qu'il avait soulevée flottait autour de lui, le nimbant d'une auréole blanchâtre et lui conférant une allure grandiose.

Mais nous n'avons pas vu. Non, sur le coup, nous n'avons pas saisi ce qu'il avait de changé, ce qui méritait une telle présentation. C'est sans doute notre mutisme qui lui a fait perdre son air triomphant et demander, un sourire incertain accroché aux lèvres :

– Ben quoi ? Vous ne remarquez rien ?

Nous avons échangé des regards, sondé en silence l'opinion de chacun. Puis, l'un après l'autre, Bernard, Fannie, Gabriel, les jumeaux et moi avons répondu :

– Non.

– Je ne vois rien mon chér…

Émile, tout excité, a coupé la parole à maman :

– Mais oui, mais oui, tu as tes super-bottes de randonnée autopropulsées aux pieds !

En effet ! C'est ce que mon père avait à nous montrer cette fois. Il a relevé le bas de son pantalon, et nous les avons vues : deux bottes, munies de harnais en fer et équipées de poulies et de bandes élastiques, montant jusqu'à mi-cuisse, avec des articulations aux chevilles et aux genoux permettant de décupler la force de celui ou celle qui les chausse.

Papa nous a décrit les mécanismes en termes savants et a conclu:

– Imaginez un peu l'aide que ces petites merveilles apporteront aux personnes handicapées et à tous ceux qui ont besoin de prothèses. Ça, c'est une invention qui va changer le monde!

– Je suppose qu'il ne reste qu'à tester le tout, a murmuré ma mère.

– Ma foi, tu ne pouvais pas si bien dire, ma jolie pâtissière d'amour. Cela sera fait lors d'une expédition! Les enfants, nous partons dès demain! J'ai loué une cabane à la montagne. Rustique, mais pittoresque! Nous y passerons deux jours et nous ferons l'ascension du Malmont. N'emportez que le nécessaire. Départ au lever du soleil!

Le nécessaire est un concept à géométrie variable. Fannie s'est empressée d'empaqueter ses plus beaux vêtements ainsi que sa collection de boucles d'oreilles, au cas où elle rencontrerait le prince charmant. Bernard, lui, a glissé dans son sac à dos un répertoire de blagues, un coussin péteur autogonflant et Dieu sait quoi encore. Quant à moi, j'ai respecté à la lettre la consigne paternelle. Je me suis bornée à l'indispensable: *L'envol du pygargue,* parce qu'on y trouve quelques trucs de survie et que ça peut toujours être utile; *L'appel de la forêt,* un classique, et une référence, côté nature sauvage; *Le merveilleux voyage de Nils Holgersson à travers la Suède,* également un classique

en plus d'être le livre que je lis actuellement ; un dictionnaire et les treize tomes de *Psy malgré moi,* au cas où je m'ennuierais. J'ai dû laisser de côté ma collection de bédés, de peur que mon bagage ne soit trop lourd. Bref, je n'ai emporté que le strict minimum.

À ce moment-là, j'avais encore envie de participer à cette aventure. C'était avant que Bernard s'en mêle. Et avant cette douleur affreuse au pied droit qui m'a fait m'arrêter et m'asseoir sur cette souche au bord du sentier. Seule. Toute seule…

Nous nous sommes donc entassés au petit matin dans la camionnette familiale surchargée. Le soleil filtrait à peine à travers les arbres des collines entourant le lac. Mon père a mis le contact et, d'une voix enjouée, il a lancé :

– En avant la compagnie ! Place à l'aventure !

Ça nous a tous mis de bonne humeur.

Puis, nous avons roulé en chantant toutes sortes de chansons joyeuses.

Pendant une heure.

Bernard a ensuite raconté des histoires drôles et d'autres moins drôles pendant une heure de plus.

Clément, Daphnée, Fannie et Gabriel se sont endormis. Bernard a fini par se taire. Émile regardait le paysage défiler, l'œil brillant. J'ai ouvert *Nils Holgersson*. Les heures passaient. Ce voyage perdait peu à peu de son enchantement.

Le trajet me paraissait interminable et je commençais à me dire que nous n'arriverions peut-être jamais à destination!

La route sillonnait un paysage de vallons colorés de rouge et d'orangé. Soudain elle s'enfonça parmi les feuillus et les conifères. La forêt, de plus en plus dense, semblait peuplée d'arbres tordus et menaçants. En faisant abstraction de la voie asphaltée, je nous sentais loin, très loin de toute civilisation. Jamais je n'avais pénétré aussi profondément dans les bois.

Mon père emprunta une voie secondaire sur plusieurs kilomètres, puis un chemin de terre et finalement un sentier boueux au bout duquel il a immobilisé la camionnette familiale.

– Réveillez-vous, la compagnie! s'écria-t-il d'une voix claironnante. Nous sommes arrivés!

Vraiment? C'était ça, le but du voyage? Un sentier à peine praticable et couvert de boue? Elle était où, sa cabane «rustique mais pittoresque»? J'étais sur le point de poser toutes ces questions, quand papa a continué:

– Prenez vos sacs. Le refuge est encore loin. Dépêchons-nous si nous voulons y arriver avant la noirceur.

Encore loin? Vraiment? Je nous croyais déjà au bout du monde!

Tout le monde a ouvert les yeux. Gabriel a bâillé bruyamment et s'est étiré. Nous sommes sortis du véhicule et avons aidé les parents à distribuer les sacs à dos. Puis, nous nous sommes mis en marche.

Pour nous rendre au camp, il fallait parcourir cinq kilomètres. Notre inventeur de père menait la troupe. Aidé de ses bottes autopropulsées, il n'avait aucun problème à mettre un pied devant l'autre, lui. Léger comme un écureuil, malgré son lourd paquetage, il bondissait sur les cailloux avec allégresse. Le cordon des Morse le suivait, peinant davantage. Quant à moi, qui fermais la marche, je prenais du retard à chaque pas. Mon sac pesait une tonne ! J'avais l'impression de charrier la carcasse d'un orignal sur mes frêles épaules ! Comme j'aurais aimé être Nils Holgersson et voyager à dos d'oie sauvage ! J'avais les pieds endoloris, les mollets en feu, mes genoux m'élançaient et mes cuisses étaient de chiffon.

Quand je suis finalement arrivée au camp, bien après les autres, le soleil avait disparu derrière les arbres. Un feu brûlait au milieu de la clairière et mon père, frais comme une page blanche, s'affairait à l'attiser.

La petite cabane en bois rond était munie d'une porte et d'une unique fenêtre sur sa façade avant. L'intérieur était éclairé par des bougies que ma mère avait disposées çà et là. Je remarquais une longue table de bois brut ainsi que cinq lits superposés. Une seconde porte donnait sur un balcon. Situé à l'arrière de la bâtisse, celui-ci surplombait une rivière aux rives escarpées. De peine et de misère, je réussis à me traîner vers un des cinq lits, celui qui était situé sous la fenêtre, et à déposer mon sac sur le matelas du haut.

J'étais exténuée.

– Pas facile de traîner sa maison sur son dos, hein, l'escargot ! s'est moqué Bernard.

Je n'entendais pas à rire.

– Continue comme ça, et l'escargot va t'arracher tes broches une à une !

Ma mère, qui avait commencé à préparer le souper, s'est tout de suite interposée.

– On change d'attitude, les enfants. Vous êtes les aînés, je m'attends à ce que vous vous comportiez comme tels.

C'est sa façon de régler nos conflits : maman fait appel à notre maturité. Pour moi, ça va ; mais pour Bernard, ça n'a pas toujours l'effet escompté. Heureusement, cette fois-ci, ça lui a fermé son clapet.

Nous avons donc fini de nous installer, puis nous nous sommes réunis autour du feu de camp pour le repas : soupe chaude, saucisses et pain de ménage. Délicieux. Le tout culminant avec un de ces cupcakes dont seule Isabella Cyrilli a le secret. Mon père nous a félicités pour notre persévérance et a annoncé la suite du programme :

– Demain matin, départ pour notre véritable randonnée : le grand tour du Malmont. Treize kilomètres de marche dans la forêt, dont huit pour atteindre le sommet, juste ce qu'il faut pour mettre mon invention à l'épreuve. Avec les couleurs de l'automne et le soleil, on va avoir droit à des panoramas superbes !

Treize kilomètres ! Dont huit en montée ! Compte tenu de la douleur que j'avais déjà aux jambes, j'avais intérêt à bien récupérer durant mon sommeil !

Après la vaisselle, ma mère a rassemblé les plus jeunes pour les mettre au lit, nous laissant, mon père, Bernard et moi, seuls autour du feu, dans le silence de la nuit que le crépitement des bûches et le chant des grenouilles agrémentaient.

J'avais les paupières lourdes de sommeil, mais j'étais hypnotisée par les ondulations des flammes. Un hululement a retenti. Ça m'a rappelé *L'envol du pygargue*. La nuit s'annonçait douce et réconfortante.

Mais Bernard a demandé :

– Avez-vous entendu ?

– Entendu quoi ? Le hibou ?

– Non, pas ça, a-t-il continué, l'autre bruit. On aurait dit… On aurait dit quelqu'un qui pleure. C'est ça, une petite fille qui pleure, zinzibulle !

Mon père n'en a pas fait de cas et, pour toute réponse, il a haussé les épaules. Quelques secondes plus tard, il s'est levé en déclarant :

– Moi, je rentre me coucher. N'oubliez pas de bien éteindre le feu. Et ne veillez pas trop tard, le Malmont nous attend demain !

Je ne sais pas pourquoi je ne lui ai pas emboîté le pas à cet instant. J'aurais dû suivre mon instinct, tout mon être me l'ordonnait, mais ma curiosité était trop grande. Je cherchais à percevoir le son décrit par Bernard.

Le hibou a hululé de nouveau.

– Là ! s'est exclamé mon frère, l'index tendu vers la forêt peuplée d'ombres.

– Le hibou ?

– Non, pas le hibou, la fille qui pleure !

Je n'avais rien entendu d'autre que le hululement et je ne savais pas si je devais prendre mon farceur de frère au sérieux. Il avait cependant l'air préoccupé, comme si quelque chose le chicotait. Ma nervosité grandissait et je brûlais de savoir ce qui le tracassait.

– Dis-moi. Qu'est-ce qu'il y a ?

– Non, c'est rien.

Pourtant, au bout d'un moment, il a ajouté à voix basse :

– Papa m'a fait promettre... Il a dit : « Tu sais comme Adèle a tendance à s'en faire, il vaut mieux garder le secret pour ne pas l'inquiéter ».

– Mais quoi ? Quel secret ?

J'allais commencer à vraiment m'énerver quand Bernard a sursauté et crié :

– Là ! Tu as bien entendu cette fois !

Je n'avais toujours rien perçu. Sauf le hululement du hibou. Et encore. Mais l'angoisse de mon frère devenait contagieuse. Je devais savoir quelle en était la cause.

– Qu'est-ce qu'il a dit, papa ? Allez, avoue. Je ne peux pas être la seule à ne pas être au courant.
– Jure que tu n'iras pas lui répéter que je t'ai tout raconté.
Les pulsations de mon cœur augmentèrent soudainement.
– Très bien, je te le promets.

Bernard s'est penché vers moi et a plongé ses yeux dans les miens. La lueur rougeoyante du feu donnait à son visage un air lugubre, presque fantomatique.
– Il y a longtemps, une mère est venue camper ici avec sa fille. La femme voulait montrer les couleurs de l'automne à son enfant. Elles avaient fait le chemin depuis Montréal. Elles avaient l'habitude des excursions en famille, mais c'était la première fois qu'elles randonnaient ensemble, juste les deux.
– Et alors ?
– Dès le premier soir, la mère a disparu. Elle est descendue à la rivière pour chercher de l'eau et elle n'est jamais remontée. La petite fille a appelé et appelé sa maman, mais personne ne répondait à ses cris. Elle a finalement passé la nuit seule à pleurer et à espérer que sa mère revienne.
– Mais elle n'est pas revenue ?
– Non… Au petit matin, la petite fille s'est rendue à la rivière à son tour. Elle n'a trouvé aucune trace de sa mère. Elle a appelé de nouveau « Maman ! Maman ! », mais il n'y avait que l'écho pour lui répondre.
– Personne ne les a cherchées ?

– Comme elles étaient parties pour plusieurs jours, on ne s'est pas inquiété pour elles. Une semaine plus tard, quelqu'un a remarqué la voiture abandonnée dans le stationnement. Ce n'est qu'à ce moment qu'on a entamé des recherches pour les retrouver.
– Pour LES retrouver?
– Oui. La petite fille s'est évanouie dans la nature elle aussi. Les enquêteurs ont conclu que, paniquée à l'idée d'avoir perdu sa mère, elle avait dû s'enfoncer dans la forêt et s'y égarer à son tour.

J'ai avalé ma salive, effrayée.
– On n'a jamais retrouvé son corps.

Bernard a laissé le temps à ses derniers mots de se frayer un chemin jusque dans le tréfonds de mon esprit. Il a ensuite plongé son regard intensément dans mes yeux.
– On raconte qu'on l'entend pleurer parfois autour du camp à la recherche de quelqu'un pour la consoler…

Un frisson a parcouru ma moelle épinière.
– … Et que des randonneurs solitaires l'ont déjà aperçue sur la montagne en train d'appeler sa mère.

Le hibou a chanté une fois de plus. Cette fois, j'étais terrifiée. Je jure, oui, je JURE que les pleurs d'une fillette sont parvenus à mes oreilles à ce moment-là! J'étais sidérée.
– Je… je viens d'entendre la voix de la petite fille! Comme un murmure dans le chant du hibou!

Me voyant blêmir, mon frère a éclaté de rire.

– Zinzibullette ! Je t'ai bien eue !

J'étais terrorisée. Bernard a ricané de plus belle.

– Allez, Adèle ! Ne prends pas ça de même ! C'était juste une histoire de peur.

Je me sentais ridicule.

Mon frère s'est levé en annonçant qu'il allait se coucher. Pas question de rester seule dans le bois. Après avoir éteint le feu, nous avons rejoint les autres à l'intérieur. Je me suis glissée dans mon sac de couchage, que j'ai relevé par-dessus ma tête. Je ne voulais pas voir dehors et… encore moins être visible !

Je n'ai pas fermé l'œil de la nuit. L'histoire de Bernard passait en boucle dans ma tête. Le moindre mouvement de branche projetait des ombres inquiétantes à l'intérieur de la cabane où mes parents et mes six frères et sœurs dormaient profondément. Je n'arrivais pas à garder la tête à l'intérieur de mon sac de couchage. C'était plus fort que moi, je jetais à tout moment des regards par la fenêtre pour m'assurer que rien de menaçant n'approchait. Dans la nuit noire, il y avait le chant des grillons, des grenouilles, du hibou, même le hurlement des coyotes et… des pleurs de fillette !

Puis, le soleil s'est levé, chassant mes cauchemars éveillés. Tous les membres de ma famille sont sortis de leur sommeil, enthousiastes et en grande forme, les chanceux ! En moins de temps qu'il n'en faut pour le dire, le déjeuner était servi, avalé, la vaisselle lavée et rangée, les randonneurs fin prêts pour l'ascension de la montagne.

Étais-je vraiment la seule à savoir que le Malmont était sous l'effet d'une malédiction ?

Tout le monde s'est mis en branle pour l'expédition. Comme la veille, mon père ouvrait la marche. Comme la veille, je traînais de la patte, loin derrière. La troupe a fini par s'éloigner, fatiguée de m'attendre. Je leur ai assuré que je les rejoindrais au sommet.

J'ai trouvé une souche où m'asseoir et enlever ce caillou que je traînais dans ma botte droite depuis un moment.

Et maudire Bernard et son histoire qui m'avaient empêchée de dormir.

***

Me voilà seule au beau milieu d'un sentier qui s'étire sur des kilomètres. Les rayons du soleil filtrent à travers les branches et parsèment le sol de taches colorées. On dirait des traces de pas. Cette lumière donne au paysage un côté irréel. Comme si quelque lutin, gnome ou… fantôme était sur le point de surgir de derrière une grosse pierre. Ces pensées me donnent un frisson.

J'ai peur. Je voudrais être loin d'ici. Je voudrais dormir. Dans mon lit. En sécurité dans ma chambre au manoir. Mes paupières sont si lourdes. Tout ce dont j'ai envie pour le moment, c'est de fermer les yeux et de sombrer dans le sommeil, bercée par les cris des oies migratrices.

Dormir.

Et rejoindre Nils Holgersson.

– Maman ?

La voix d'une jeune fille me parvient, un murmure dans le vent, soufflé par les arbres qui m'entourent. Comme dans un rêve.

– Maman ?

J'ouvre les paupières.

L'appel provient d'un endroit incertain.

– Maman ?

Je regarde à gauche. Rien. Puis, en fouillant le paysage vers la droite, je devine la silhouette d'une petite fille disparaissant au détour du sentier. En direction du sommet. D'un bond, je suis sur pied, prête à me lancer à sa poursuite. Mais le contact avec le sol caillouteux me rappelle que j'ai retiré mes bottes avant de m'assoupir.

Je m'empresse de les chausser.

Serait-ce elle ? Serait-ce la petite fille de l'histoire ou simplement la fatigue qui me joue un vilain tour ?

Il n'y a rien d'autre à faire que de la suivre pour en avoir le cœur net : je dois savoir.

Je me remets en marche sur le sentier. Je progresse aussi rapidement que mes jambes me le permettent. La fillette se dérobe à ma vue. Je n'entends que sa voix, au loin :

– Maman ?

Dans ma tête, le récit de Bernard repasse comme un vieux film. Je cours presque.

Enfin, je l'aperçois à nouveau ! Là, dans une longue montée en ligne droite. Elle chemine dans ses petites bottines, fluette, les épaules voûtées. Elle cherche, elle appelle, elle est paniquée, elle est… si seule. La blondeur de ses cheveux dans le soleil lui donne un air irréel. J'aurais envie de la héler à mon tour, de lui dire que tout va bien, de la rassurer. Mais ma voix ne porte pas, mon souffle est trop court ; ma fatigue, trop grande. Puis l'enfant disparaît au sommet de la côte. Une fois de plus, elle m'échappe.

C'est étrange. À poursuivre en vain cette silhouette, à demi hallucinée par l'épuisement, je me mets dans la peau de la Wapikoni de *L'envol du pygargue*. Comme elle, je me presse d'escalader les pierres et les racines. Comme elle, je grimpe les montées, m'enfonçant chaque fois un peu plus dans la forêt, me rapprochant du sommet. Au-dessus de moi passe un nouveau voilier de bernaches, près, si près. J'ai l'impression qu'en étirant les bras je parviendrais à toucher leur plumage. Je me surprends même à imaginer Nils Holgersson à cheval sur l'une d'elles.

À bout de souffle, je me demande si j'aurai la force de continuer longtemps ainsi. Devant moi, des voix me tirent de mon délire. Je lève les yeux : une petite fille blonde dans les bras de sa mère qui la couvre de câlins.

Je perds pied. Le monde chancelle autour de moi.

La maman gronde gentiment :

– Je t'avais bien dit de ne pas t'éloigner !

Mais cette voix... C'est la voix d'Isabella Cyrilli ! Ma mère, qui est en train de rassurer Fannie... Tout est confus dans mon esprit. Qu'est-ce qui est vrai ? Qu'est-ce qui ne l'est pas ?

Le ricanement de mon frère Bernard me tire de mon cauchemar :

– Tu en as mis du temps, la sœur !

Il est bien réel, lui, pas de doute ! Et il se moque encore de moi.

– Ben voyons Adèle, tu as vu ta tête ? On jurerait que tu viens de voir un fantôme ! Tu ne crois quand même pas aux revenants, non ?

Après la nuit qu'il vient de me faire passer, celui-là, je lui arracherais volontiers les yeux.

– Toi, évidemment, tu ne crois à rien. C'est mieux, tu penses ?

Un peu plus loin, on a installé une nappe à même une grosse pierre. Mes frères et sœurs dégustent leurs sandwichs avec appétit. Mon père, reposé, discute de ses bottes autopropulsées avec trois randonneurs impressionnés.

– Ça, c'est une invention qui va changer le monde !

C'en est une qui, en tout cas, a changé le mien le temps d'une randonnée !

Nous prenons une pause d'une demi-heure à peine. Je n'ai même pas terminé ma pomme que le grand Hervé Morse a déjà des fourmis dans les jambes. Il donne le signal du départ pour le retour vers la cabane. C'est vrai ! Ce n'était pas tout d'atteindre le sommet. Il faut encore redescendre ! Cette fois, je ne vais certainement pas m'éloigner des miens. Quoique…

Dans le ciel au-dessus de nous passe un voilier d'outardes qui me donne envie de crier :

– Emporte-moi avec toi, Nils Holgersson !

# De mauvais poil

UNE HISTOIRE DE JULIE ROYER

Ce jour-là, j'étais étendue sur une chaise longue, au bout du quai donnant sur le lac Majuscule. Je noircissais les pages de mon journal avec un stylo qui s'illumine lorsque la bille touche le papier. Quand je repense aux événements qui ont marqué à la fois cette journée et ma destinée, je réalise que tout était écrit d'avance. Voilà qui ressemble à une fatalité, ou, si l'on veut, à une malédiction annoncée. En guise de preuve, voici un extrait de mon journal :

*La nuit dernière, j'ai rêvé que mamie Julia me disait d'une voix caverneuse, en repassant des costumes à Radio-Tralala :*

*« Ne réveille pas l'entité du manoir-oir-oir…*

*Dont le sommeil perdure depuis des dizaines d'années-ées-ées…*
*Laisse-la dans le noir-oir-oir…*
*Ou tu auras des ennuis de pilosité-é-é…»*

*S'agit-il de ce que les parapsychologues appellent un «rêve prémonitoire»?*

*Quoi qu'il en soit, tout le monde parle de nous, au village. Les gens affirment que notre maison est hantée, qu'elle cache des passages secrets et que notre famille est marquée par une terrible malédiction…*

*Si ces rumeurs étaient vraies, imagine, cher journal, les histoires que je pourrais écrire! Je me vois très bien comme la vedette à l'émission* Tout le monde en jase. *Je prendrais place sur le siège des invités, pendant que l'animateur s'exclamerait, avec un sourire béat d'admiration: «Cette semaine, nous recevons Adèle Morse, 15 ans, la célébrissime auteure de romans fantastiques!» On m'applaudirait à tout rompre. Je sourirais triomphalement à la caméra. L'animateur, montrant mon livre au public, demanderait ensuite:*

*–Adèle, votre dernier roman, intitulé* Le spectre du manoir, *s'est vendu à trois millions d'exemplaires. Il raconte l'histoire d'un esprit prisonnier d'un manoir habité par une famille ressemblant curieusement à la vôtre…*

*– Oui, il s'agit d'un roman autobiographique. Le spectre du manoir existe vraiment. Celui-ci était enfermé dans un endroit secret de la demeure familiale depuis des dizaines d'années quand je l'ai découvert en cherchant un endroit tranquille où écrire. (Vous savez, dans une famille comptant sept enfants, il est parfois difficile de trouver le silence et la solitude.) Aussi, comme je l'explique dans mon livre, ma quête m'a menée à une pièce inexplorée de la maison. Vous ai-je déjà dit qu'elle en comptait 26, comme les lettres de l'alphabet? Eh oui! Et celle-ci (nommée «m», pour «mystère») n'avait jamais été visitée! Normal, puisqu'elle se situait au grenier. On avait toujours cru que cette partie du manoir contenait un débarras.*

*En forçant quelque peu la porte, j'ai réussi à entrer. Contrairement à ce que nous avions toujours pensé, la salle, loin d'être un capharnaüm, n'était meublée que d'un immense bureau en acajou et d'une chaise avec des pattes de lion griffues. Trop curieuse de savoir ce que le meuble contenait, je me suis empressée d'ouvrir un tiroir. C'est alors que j'ai assisté à un phénomène comme on n'en voit généralement que dans les romans: en ouvrant ce tiroir, j'avais déclenché un mécanisme faisant basculer le mur face au bureau. D'abord abasourdie, je suis rapidement passée de l'autre côté. Je voulais être la première à marcher en ces lieux inexplorés…*

*Soudain, il est apparu, blanc, l'air hagard, couvert de poussière, râlant. Ainsi, les rumeurs de Bradel étaient fondées!*

*Sortant de ma poche mon carnet de notes et mon stylo lumineux (je ne me sépare jamais de ce dernier), je suis allée à la rencontre du spectre :*
*– Bonjour, je suis Adèle Morse, écrivaine. Quel est votre nom ?*
*Le revenant, s'essuyant le nez avec un pan de son linceul, m'a répondu, d'une voix sépulcrale...*

– À l'attaque !
Plouf ! Plouf !

Je me recroquevillai sur ma chaise longue en hurlant. Bernard et Émile, mes insupportables frères cadets, venaient de traverser le quai à la course, puis de sauter dans le lac en adoptant leur figure préférée : la bombe, nous éclaboussant mon journal et moi.
– Grrrrrrrr ! Regardez ! Je suis toute mouillée maintenant ! Et mon journal est trempé. Vous m'énervez, ectoplasmes !
Mes frères se sont ébroués en riant. Émile, 11 ans, a ensuite demandé :
– C'est quoi, un « eptoplasque » ?
– Un ec-to-plas-me, répliquai-je, exaspérée, est une substance paranormale qui peut adopter toutes sortes de formes. Mais le terme peut aussi servir à désigner des êtres insignifiants, des idiots qui interrompent une auteure géniale en train d'écrire l'œuvre de sa vie !
Émile regarda Bernard, l'air de n'y rien comprendre.

Je me levai d'un bond. Montrant mon journal dégoulinant, je grognai, à l'adresse de mes frères :
– À cause de vous, je ne peux jamais écrire en paix !

Et, sans laisser le temps à mes interlocuteurs de répondre, je quittai les lieux. Je traversai, en maugréant, le jardin quelque peu négligé qui s'étend derrière notre demeure.

Ouvrant à la volée la porte extérieure, laquelle donne sur le salon, je reconnus ma grand-mère Julia. Elle se tenait sur un tapis persan élimé qu'elle avait déroulé dans un coin dégagé de la pièce. Les yeux fermés, mamie maintenait une posture de yoga compliquée. Les jambes croisées autour du cou, elle prononçait un mantra :
– Ouuuuuuuumahhhhhhhhhhhh !

D'un seul coup, j'oubliai ma colère.
– Mamie ! m'exclamai-je. Je suis contente que tu sois là !

Ma grand-mère expira longuement avant d'ouvrir un œil. Souriante, elle dénoua ses jambes sans effort :
– Comment va ma jolie écrivaine ?
– Bien ! As-tu apporté ta boule de cristal ?

Ma grand-mère enleva son bandeau noir, auquel était agrafée une lune ornée de zircons. Elle secoua ensuite sa longue crinière poivre et sel et, saisissant une serviette éponge, s'essuya le front, puis le cou :
– Oui, ma belle, elle est dans mon sac, à côté du sofa. Veux-tu aller le chercher ?

Je rejoignis le canapé en trois enjambées. Avec précaution, je soulevai le sac en tapisserie, une antiquité décorée de motifs alambiqués, semblables à ceux que l'on trouve dans les grimoires. En songeant que ce sac avait peut-être déjà appartenu à un puissant magicien, je frissonnai, réjouie et légèrement apeurée.

Je déposai le sac à côté de ma grand-mère et m'assis en tailleur en face d'elle. Mamie ouvrit lentement le sac et en sortit sa boule. Celle-ci était enveloppée dans une pièce de velours chamarré. Elle en tira ensuite un socle en ébène et y plaça la sphère. En posant ses mains au-dessus de celle-ci, mamie demanda:

– Veux-tu connaître la bonne aventure? Veux-tu que les astres te dévoilent ton destin? Alors, ouvre ton cœur, Adèle, et souffle ta question dans l'infini…

J'inspirai profondément. Je me concentrai, afin de bien choisir mes mots pour faire apparaître dans le cristal des images claires et précises:

– Serai-je une écrivaine célèbre, un jour?

Mamie effectuait des mouvements lents et circulaires au-dessus de la sphère cristalline. Levant la tête vers le plafond, elle dit:

– Ô étoiles bienveillantes, entendez-vous la question d'Adèle? Grande Ourse, Lion, Capricorne et Dragon, envoyez vos réponses, dans ma boule de cristal, en constellations…

J'étais impressionnée par les paroles et les gestes de ma grand-mère, qui semblait tout connaître de l'astrologie et de ses secrets. Mamie secoua ses épaules et rejeta en arrière sa chevelure avant de plonger son regard bleu azur dans le globe transparent.
– Hum… Je vois… Je vois… Je te vois, assise à un bureau…
– Est-ce un bureau en acajou ? Un grand bureau, dans une chambre secrète ?
– Non, je vois ton lit, avec la couverture que je t'ai tricotée. Tu es dans ta chambre. Tu écris, tu sembles même absorbée par ton travail… Je te vois de dos.
– Peux-tu voir ce que j'écris ?
– Euh… C'est difficile…
– Canalise tes énergies, je t'en prie, mamie…

Ma grand-mère se pencha un peu plus sur la boule, jusqu'à la frôler avec le bout de son nez aquilin.
– En fait, tu écris un titre. Oui, je peux te dire que je vois distinctement, sur ta feuille, le mot « poil ».

Abasourdie par cette révélation, je fus complètement soufflée quand mamie, en levant la tête, ajouta, d'une voix éthérée et les yeux révulsés, ces paroles pour le moins énigmatiques :
– Prends garde à l'encre desséchée. De mauvais tours, elle pourrait te jouer. Trèfles aux oreilles et cactus aux pieds…

Épuisée par cette séance, mamie se laissa ensuite retomber sur le tapis. Étonnée, je jouais quant à moi avec une mèche de mes cheveux. Je pensais au rêve que j'avais noté dans mon journal, au roman dont j'avais déjà trouvé le titre et dont le personnage principal était une entité vivant parmi les ombres. Tout cela, ainsi que les images qu'avait vues ma grand-mère, étaient des signes évidents que j'avançais sur la voie menant à la réalisation de mon plus grand souhait. Toutefois, je me demandais comment expliquer les paroles hermétiques et menaçantes qu'elle venait de prononcer et qui ressemblaient de façon troublante à celles qu'elle avait dites dans mon rêve. Je devrais les transcrire pour les étudier davantage. Elles pourraient d'ailleurs être des matériaux que j'utiliserais pour l'écriture de mon histoire.

Mamie interrompit mes pensées en se relevant, comme si rien ne s'était passé :

– Je suis allée à Radio-Tralala, cette semaine, pour habiller les invités de *Tout le monde en jase*. Je vous ai rapporté, à toi et à ta bande, quelques trucs à glisser dans votre coffre à costumes. J'ai d'ailleurs quelque chose, ici (mamie fouilla dans son sac), qui devrait te plaire. Djiki Howling l'a oublié sur le plateau.

Djiki Howling ! La grande écrivaine, mondialement reconnue, auteure de la fameuse série *Sorciers* ! Bouche bée, je contemplai le turban que mamie venait de sortir du sac. Un magnifique turban en satin bleu nuit, couvert de pierres du Rhin et d'étoiles en fil d'argent.

Proche de la béatitude, je me jetai dans les bras de ma grand-mère costumière :

– Merci, mamie !

Sans plus attendre, je coiffai le turban et tournai sur moi-même.

Ma grand-mère sourit :

– On dirait qu'il a été fait pour toi. Tu es extraordinaire, Adèle ! Que tous tes souhaits se réalisent !

J'embrassai une seconde fois ma grand-mère puis me lançai, légère, dans le long et sombre corridor au bout duquel se trouve un escalier en colimaçon menant au deuxième étage du manoir. C'est là que se trouve la pièce « e » : ma chambre. (« E » pour « écrire » et pour « écrivaine ». Lorsque notre famille emménagea au manoir et que mes parents décidèrent de nommer ses 26 pièces selon les lettres de l'alphabet, j'avais demandé et obtenu qu'on me cède la chambre « e » en faisant valoir mes ambitions littéraires.)

J'ouvris la porte de ma chambre. Avant de la refermer, j'accrochai une affichette à la poignée : « Ne pas déranger. » En deux bonds, je rejoignis mon lit. J'y posai mon journal et mon crayon lumineux. Je marchai ensuite jusqu'à mon miroir.

Je me mirai dans la glace, stupéfaite. Ce turban ayant appartenu à la reine du roman fantastique m'allait à ravir ! J'étais tellement heureuse que j'avais l'impression de léviter. Inspirée, je m'assis à ma table de travail, ouvris mon journal et repris, sous le texte que j'avais commencé :

*Ma grand-mère vient de m'offrir le turban de la talentueuse Djiki Howling. Ce turban a touché sa tête ! Il doit subsister un grain de son énergie dans le tissu de ce couvre-chef. Il me portera chance, j'en ai l'intuition. Je monte au grenier. Peut-être y trouverai-je, tel que je le pressens, une pièce secrète. À suivre…*

Pieds nus et coiffée de mon turban, mon journal sous un bras, un stylo sur l'oreille, je quittai ma chambre après avoir retourné l'affichette. On pouvait maintenant y lire : « Défense d'entrer. » Marchant jusqu'au bout du corridor, j'empruntai à nouveau l'escalier en colimaçon et grimpai au dernier étage de la maison, jusqu'à la pièce « g », pour « grenier ».

Une fois parvenue à cette pièce, les joues rouges, essoufflée (l'escalier est escarpé), j'ouvris doucement la porte, pleine d'espoir. J'y pénétrai après avoir repoussé, avec un frémissement, une large et épaisse toile d'araignée. Prenant garde de ne pas me cogner les orteils contre des objets (le grenier est un véritable fouillis – on n'y a jamais fait le ménage depuis qu'on a construit la demeure, il y a de cela cent ans), je marchai jusqu'au fond de la longue pièce, là où se trouve une porte en chêne. Celle-ci n'avait encore jamais été franchie à ce jour... en tout cas, pas par nous. En effet, quand ma mère, Isabella, hérita du domaine de sa tante Isadora, le notaire lui avait remis la totalité des clés servant à ouvrir les portes du manoir. « À l'exception de la clé du réduit situé au grenier, avait-il précisé. Cette clé a été perdue, il y a de cela des années. »

Mes parents n'avaient jamais cru bon d'appeler un serrurier pour régler ce problème. Ils trouvaient, et estiment toujours, qu'il y a déjà suffisamment de pièces à habiter et à entretenir dans ce manoir.

Mais voilà... C'est avec une simple épingle à cheveux, comme dans les contes, que je réussis à forcer la serrure de la mystérieuse porte. Celle-ci s'ouvrit en grinçant. Je restai plusieurs secondes dans l'embrasure à contempler ce que j'avais sous les yeux. Loin d'être vide, comme je l'avais toujours imaginé, la pièce était encombrée de caisses, de meubles, d'objets aussi hétéroclites que poussiéreux. Certains d'entre eux étaient couverts de draps blancs. Au fond, il y avait un bureau. Ce dernier croulait sous des piles de vieux cahiers, de rouleaux de papier, de bouteilles d'encre et de plumes.

Le cœur battant, je marchai en direction du bureau. Je tirai une chaise et m'y assis. Je passai la main sur les documents qui s'y empilaient. Désirant voir ce qui se cachait dessous, je soulevai une liasse de feuilles jaunies, sur lesquelles se trouvait renversée une bouteille d'encre. La bouteille était vide. L'encre avait séché sur le papier. Mon geste souleva un nuage de poussière bleue qui me fit éternuer.

Je sentis qu'il se passait une chose étrange quand je vis la poussière, qui aurait dû logiquement retomber, s'élever jusqu'au plafond et prendre de l'expansion. Il me sembla même que *cela* respirait ! Je reculai, médusée, et me frottai les yeux : devais-je me réjouir de ce spectacle, ou prendre la fuite ?

J'allais choisir la deuxième option quand le nuage adopta un aspect vaguement humain. Je tentai d'appeler au secours, mais les mots s'étranglèrent dans ma gorge. Épouvantée, j'entendis le nuage s'adresser à moi, avec irritation :

– Qui ose déranger mon repos ?

– Je-je-je m'app-pp-pp-elle A-a-a-dèle...

– Ah ! L'écrivaine de la famille Morse...

Le nuage se pencha pour m'examiner de plus près. Je poussai un tout petit cri et me levai d'un bond. Le nuage en profita pour s'installer à ma place sur la chaise. Faisant mine de se frotter les doigts contre le torse, il dit :

– Je suis Hector, le génie du manoir. J'habite ici depuis qu'Henriette a acheté la bouteille d'encre dans laquelle je m'étais réfugié pour la sieste.

Incrédule, je m'entendis demander :

– Qui est Henriette ?

– L'arrière-grand-mère de ta grand-tante, Isadora…

Agacé, le génie me fit signe de ne pas l'interrompre.

– Un jour, Henriette ouvrit le flacon et découvrit ma présence. Ne me laissant ni le temps de me présenter ni celui de lui offrir d'exaucer l'un de ses vœux, elle m'assomma d'un coup de tapette à mouches. De tapette à mouches, tu te rends compte ?

– Oui, ce n'est pas très avenant, fis-je, tentant de me montrer aimable.

– Et elle m'enferma dans cette bouteille, qu'elle scella et cacha dans ce réduit avant d'en verrouiller la porte. Je suis demeuré enfermé ainsi durant près de quatre-vingts ans.

– Oh ! Sans jamais sortir ?

– Un jour, j'ai tenté d'en sortir. Par malheur, je me suis répandu sur ces feuilles et je me suis desséché. Je croyais bien que c'en était fini pour moi.

– Mais ce n'est pas fini, n'est-ce pas ?

– Pas maintenant que tu es apparue ! Aussi, tu mérites que j'exauce l'un de tes souhaits.

Il me souriait d'un air narquois. Je me méfiais. Devais-je accorder confiance à ce génie ? Toutefois, je ne pus résister bien longtemps à l'idée de réaliser mon rêve :
– Je veux devenir une écrivaine célèbre.

Le génie gloussa :
– Eh bien soit ! Maintenant, aide-moi à entrer dans cette bouteille !

J'obéis en silence et inclinai le flacon. Le nuage y plongea puis sa voix retentit, impérieuse :
– Maintenant, prends une fiole pleine sur le bureau, ouvre-la et vide-la sur moi. J'ai besoin d'encre pour retrouver la forme.

Je fis ce que le génie demandait et versai l'encre dans la bouteille. Hector soupira d'aise. Je reposais le flacon sur le bureau quand soudain le visage du génie, bleu marine et ruisselant, en ressurgit. Je poussai un cri, effrayée. Le génie éclata de rire. Jetant un œil à gauche et à droite sur le bureau, il finit par trouver ce qu'il cherchait : un bouchon.
– Maintenant, je vais aller me reposer. Auparavant, je dois te faire un aveu. Je suis un mauvais génie. Je ne donne jamais sans prendre. Je suis même ce qu'on appelle un lanceur de malédictions.

Je m'effondrai sur la chaise, défaite. Un mauvais génie ! Mon rêve n'allait donc pas se réaliser. Bien au contraire, ce génie mettrait tout en œuvre pour m'empêcher de le réaliser !

– Comme tu commences déjà à le comprendre, poursuivit Hector avec un rictus cruel, je pourrais jeter sur ta famille une panoplie de très mauvais sorts. C'est ce que je fais, habituellement, quand on me dérange.

Je tentai de plaider ma cause.

– Mais je vous ai rendu service !

– Oui… En effet… Comme tu m'as rendu service, je ne vais te jouer qu'un petit tour…

– Un petit tour ? répétai-je, inquiète.

– Tant que tu n'auras pas entrepris la réalisation de ton rêve, c'est-à-dire écrit et publié ton premier texte, il te poussera une fougère sur la tête dès qu'une idée germera dans ton cerveau.

J'étais catastrophée. Des idées, il m'en venait au moins dix à l'heure !

– Viens me revoir lorsque ton texte sera publié. Si ce dernier me plaît, je ramènerai ta chevelure à son état naturel. Maintenant laisse-moi. Bonne chance !

Le génie se glissa dans la bouteille et tira prestement sur lui le bouchon.

Je restai longtemps immobile, mortifiée, n'osant pas toucher mes cheveux sous mon turban. Surtout, j'essayais de ne pas avoir d'idées, mais c'est justement quand on ne veut pas en avoir qu'il en surgit de partout !

Emportant la bouteille, je redescendis l'escalier en prenant soin d'éviter les membres de ma famille. De retour dans ma chambre, je m'y enfermai et cachai le flacon sous le double fond de mon coffre aux trésors. Je cadenassai ce dernier et le cachai au fond de ma penderie, pour être bien certaine que personne ne réveille à nouveau ce génie malfaisant.

Enfin, en frissonnant, je me plaçai devant mon miroir et soulevai mon turban. Paracelse ! Les idées que j'avais déployées pour cacher le flacon avaient fait pousser sur mon crâne un énorme bouquet de fougères ! Je tentai en vain de les couper. J'essayai aussi sans succès, et non sans douleur, de les arracher.

Depuis ma rencontre avec Hector, pour ne pas avoir à raconter ma mésaventure et pour éviter de semer l'épouvante parmi les miens, je porte mon turban presque tout le temps. Je ne l'enlève que pour dormir et prendre ma douche. Est-ce que je retrouverai ma chevelure originelle un jour ? J'espère que oui !

J'ai écrit le présent texte afin de le publier dans un recueil. Si vous le lisez, c'est qu'il a été retenu pour publication. Il ne me reste donc plus qu'à retourner voir le génie et à le lui donner à lire. Mais que me fera-t-il encore subir pour l'avoir dérangé à nouveau ? Me fera-t-il pousser des poils de fer au menton ? Transformera-t-il mes sourcils en pissenlits ? Sèmera-t-il des graines de trèfle dans le creux de mes oreilles, tel que l'a présagé mamie ? Je m'en moque ! Quand on est écrivain, je le sais maintenant, il faut savoir prendre des risques. Comme réveiller un génie qui dort…

# La page blanche

UNE HISTOIRE DE PASCAL HENRARD

Ce matin-là, Gabriel s'amusait à réciter l'alphabet qu'il connaissait désormais par cœur. Confiant, il avait commencé en chantant. Il égrainait les lettres une à une de plus en plus fort. Mais à la septième, il s'arrêta net.

Bloqué par une force mystérieuse, Gabriel ne réussissait pas à aller au-delà de la lettre G.

Il ouvrit de grands yeux interrogateurs. Il écarta les bras et les laissa retomber le long du corps avec dépit. Et il reprit sa chanson au début. Il répéta patiemment l'alphabet comme il l'avait appris… Hélas, il buta de nouveau sur G. G comme Gabriel. Comme garage. Comme gaffe. Comme gyrophare, un des derniers mots commençant par G dans le dictionnaire. Après G, plus rien. Plus un son ne sortait de sa bouche. Un immense trou noir dans sa mémoire. Le vide intersidéral. Gabriel commença à paniquer. Il avait beau avoir 6 orteils au pied gauche, ce qui lui en faisait 11 au total, il n'en savait pas moins compter jusqu'à Z, c'est-à-dire 26. Pourtant, il était coincé à G. Il se mit à trépigner sur place.

Habitués aux sautes d'humeur du petit dernier, ses frères et sœurs le regardèrent d'abord sans réagir. Mais ils ne tardèrent pas à se rassembler autour de lui pour l'aider. Adèle annonça à voix haute et claire la première lettre : A, comme Adèle, mais aussi comme aînée et alphabet. Bernard balança un beau B. Clément continua avec C. Daphnée dit « D ». Émile enchaîna avec E. Fannie ne se fit pas prier et souffla un F parfait. Gabriel grogna « G ». Mais ne réussit pas à continuer.

Devant les pénibles efforts de leur benjamin, tous tentèrent de poursuivre à sa place. En vain. Personne n'arrivait à franchir le barrage de la lettre G, pas même les plus vieux. Les enfants Morse se regardèrent, aussi perplexes que si on leur demandait de découvrir le secret de la recette du gâteau au chocolat de leur grand-tante Isadora. Ils ne savaient plus quoi dire. Chacun avait pourtant la suite sur le bout de la langue, mais pas un seul n'arrivait à cracher le morceau ou plutôt, à sortir la huitième lettre.

Que se passait-il ? Quel était ce phénomène extraordinaire qui les empêchait de réciter les 18 autres lettres de l'alphabet ? S'agissait-il d'une de ces malédictions dont on disait le manoir affligé ?

Adèle réfléchit. Après tout, c'était elle l'intellectuelle de la famille. Elle se dit que, à défaut de prononcer les lettres de l'alphabet, on pouvait sans doute au moins les écrire. Elle fit signe aux six autres de la suivre et fila vers la cuisine.

Elle s'approcha du tableau noir que son père avait installé près du réfrigérateur pour noter les courses à faire, les rendez-vous à ne pas manquer et les projets fous de la famille. À l'aide d'une craie, elle s'appliqua à tracer les premières lettres de l'alphabet : A, B, C, D, E, F, G… G… G… Sa main ne put aller au-delà de G… Bloquée, elle aussi. Adèle fronça les sourcils, jeta la craie par terre et sortit précipitamment de la pièce. Elle avait encore une idée derrière la tête.

Gabriel se gratta le crâne. Comme si ça pouvait l'aider à comprendre la situation !

– Mais qu'est-ce qui nous arrive ? Après G, c'est… Bernard, aide-moi, tu le sais, toi ? Fannie ?

Comme personne ne répondait, Gabriel s'imagina qu'on lui faisait une blague.

– Vous vous moquez de moi ? Hein ? Vous me jouez un tour ? Arrêtez de me faire marcher… C'est même pas drôle.

Éberluée, la fratrie Morse restait figée, sans rien dire. Daphnée brisa le silence la première.

– Ce n'est pas une blague.

Elle fut suivie par ses frères et sœurs, dont les voix tendues s'entremêlaient.

– On n'est pas en train de te jouer un tour.

– Aucune envie de te piéger, Gab.

– En tout cas, moi, on dirait bien que j'ai vraiment oublié les lettres de l'alphabet.

Sur ces entrefaites, Adèle revint en courant. Elle serrait deux gros dictionnaires dans ses bras comme s'il s'agissait du trésor des Templiers.

– Regardez ! Je… vous… mais… enfin…

Adèle était tellement essoufflée qu'elle en perdait ses mots. Elle laissa tomber les dictionnaires sur la table de la cuisine.

Fannie s'empara tout de suite du premier, le plus volumineux, et le feuilleta avec fébrilité. Elle lança un regard ahuri à la plus âgée de ses sœurs, reposa le livre sur la table puis se tourna vers les autres.

– Ah… Mais… C'est…

– Quoi ? Quoi ? hurla Bernard.

Comme Fannie ne réussissait pas à articuler un mot de plus, il s'empara de l'autre dictionnaire et l'ouvrit. À son tour, Bernard écarquilla les yeux, marmonna son expression préférée « Zinzibulle ! », et exhiba avec rage sa découverte. Toutes les pages qui suivaient la lettre G étaient blanches. Même le dictionnaire s'arrêtait à la septième lettre!

Adèle s'était laissée tomber sur une chaise. Elle essayait de réfléchir. Gabriel n'osait plus rien dire. Fannie tournait désespérément les pages blanches. Bernard n'arrêtait pas de frapper du poing sur la couverture du deuxième dictionnaire en répétant: «Ce n'est pas possible! Pas possible.» Et Clément tournait en rond autour de la table comme un tigre pris au piège.

Boum!

Un bruit sourd, une sorte de tremblement de terre, une explosion souterraine ou une bombe tombée quelque part, secoua toute la maison Morse.

– Un tr-tr-emble-ble-blement de-de-de terre?! bégaya Daphnée.

Bernard haussa les épaules:

– Ben non, voyons! Sans doute quelque chose de lourd qui est tombé à l'étage, une chaise, un cadre, encore une affaire mal rangée…

Après avoir balayé du regard ses frères et sœurs, Adèle se leva d'un bond et scruta la pièce.

– Il manque… Il manque… Où est passé…?

Gabriel compta rapidement. Un, deux, trois, quatre, cinq, six. Il manquait un des leurs. Qui donc? A comme

Adèle, B comme Bernard, C comme Clément, D comme Daphnée, F comme Fannie, G comme Gabriel. A, B, C, D, F, G…

– E, fit-il à voix haute. Il manque E… E comme Émile.

– Zinzibullox ! Émile a disparu ! tonna Bernard.

Clément prit le gros volume qui traînait sur la table.

– Zinzibullette ! Le E est toujours à sa place dans le dictionnaire, dit-il, comme s'il s'agissait d'un miracle.

– Quel rapport ? rétorqua sa jumelle.

– Bon, on ne va pas rester là à discuter, coupa Adèle. Il faut retrouver notre frère.

– Je te suis, dit Bernard en poussant l'adolescente vers la porte.

En file indienne, les plus jeunes emboîtèrent le pas à leurs aînés dans le long couloir qui menait à la bibliothèque. On aurait pu entendre une mouche voler si ç'avait été la saison des mouches. À part le tic tac de l'horloge ancienne léguée par la grand-tante Isadora et les craquements du plancher sous leurs pas, le manoir baignait dans le silence.

Soudain, une bourrasque fit claquer une branche sur le toit. La petite Fannie sauta dans les bras de Gabriel qui s'écroula sous le poids de sa sœur. Un doigt posé sur la bouche, Clément leur fit signe de faire moins de boucan. Daphnée les aida à se relever. Bernard ne savait pas s'il devait rire ou se fâcher. Adèle, qui ne s'était même pas retournée, avait déjà commencé à grimper l'escalier en direction… Dans quelle direction allait-elle, au fait ? Elle l'ignorait. Tout ce qu'elle pouvait dire, c'est qu'elle se dirigeait vers le bruit sourd. « Cela provient de l'étage », pensait-elle. Mais elle n'en était plus sûre. La secousse ainsi que le bruit s'étaient évanouis, et aucune des 26 pièces du manoir ne semblait en garder la moindre trace. Arrivée à l'avant-dernière marche, la vingt-cinquième - elle les avait comptées pour être certaine qu'il n'en manquait pas une -, Adèle entendit Bernard marmonner quelque chose tout au bas de l'escalier.

– Ha heu le… Hin hihi… heu hui hu hi hè ha ha…

– Bernard, cria Adèle, arrête de chuchoter comme si on était à la morgue… On est chez nous, tu peux parler normalement. Il n'y a pas de monstre qui va te manger, pas de…

Boum !

Cette fois, Adèle en était sûre, le son provenait de la bibliothèque.

Dans sa précipitation, elle trébucha sur la vingt-sixième - et dernière - marche, déboula les escaliers et s'affala dans les bras de Bernard que Clément eut à peine le temps de rattraper pour qu'il ne s'écrase pas sur Fannie qui se trouvait derrière lui.

Adèle se redressa et replaça ses cheveux ébouriffés derrière les oreilles. Fannie glissa sa main dans celle de

Gabriel. Clément prit la tête et s'avança en direction de la bibliothèque, suivi de Bernard et de Daphnée.

– J'espère qu'il n'est rien arrivé de grave à Émile, murmura Fannie en retenant un sanglot.

Malgré sa propre inquiétude, Gabriel essaya de la rassurer.

– On va le retrouver, ne t'inquiète pas. Il a sans doute voulu tester une de ses inventions abracadabrantes...

Émile marchait en effet sur les traces de leur père inventeur de métier. Avec ces deux-là, la famille Morse n'était jamais à court de surprises. Pourtant, le parfum de malédiction qui planait dans l'atmosphère ce matin-là n'avait rien à voir avec leurs folles expériences. L'absence des lettres de l'alphabet, le trou de mémoire collectif, les pages blanches dans les dictionnaires, les secousses dues à d'étranges tremblements de terre, la disparition d'Émile : tout cela n'était pas normal.

Reboum ! Recrac ! Aaaahhhh !!!

Une troisième secousse fit trembler les vieux murs de la maison. Le cadre avec la photo de la grand-tante Isadora tomba et se fracassa sur le sol du couloir. La petite troupe s'immobilisa.

– J'ai entendu un cri, déclara Bernard d'un ton grave.

– Moi aussi, assura Adèle.

Clément n'attendit pas que chacun confirme avoir bien entendu un appel au secours. Il se précipita courageusement dans la bibliothèque.

Un épais nuage de poussière avait envahi la pièce et obstruait la vue. Clément plissa les yeux et se couvrit la bouche avec son t-shirt.

– Émile ? Où es-tu Émile ?

Adèle arriva ensuite talonnée par le reste de la troupe. N'osant pas entrer, elle se mit à crier :

– Clément ? Où es-tu Clément ?

Bernard prit son courage à deux mains et pénétra dans la bibliothèque. Il en ressortit quelques secondes plus tard, couvert d'une fine pellicule de poussière. Il referma la porte derrière lui en éternuant.

– AA-AAA-AAAtchoum ! Impossible d'avancer. Y a trop de poussière. AA-AAA-AAAtchoum !

– Clééééément ? Éééééémile ?

À l'unisson, les cinq Morse appelèrent à travers la porte les deux frères disparus. Ils se turent un moment pour écouter si on leur répondait.

Mais il n'y avait plus aucun bruit, plus un seul mouvement.

– Il faut que je retourne voir, se décida Bernard.

– Je t'accompagne, ajouta Adèle.

– Ne m'abandonnez pas, supplia Fannie en serrant plus fort la main de Gabriel.

– Vous n'allez pas me laisser seule ? ! s'écria Daphnée, qui emboîta le pas aux quatre autres.

Ils décidèrent donc tous les cinq d'affronter la poussière, la bibliothèque et, surtout, la peur.

La poussière s'échappait de la porte entrebâillée telle une brume et se déposait en une fine couche sur le sol du couloir. Un pâle rayon de soleil se fraya un chemin à travers une lucarne entrouverte. Si les enfants Morse avaient jeté un coup d'œil par celle-ci, ils auraient vu dehors deux silhouettes qui s'agitaient sur le perron.

***

Hervé Morse fouillait les poches de son pantalon, tandis qu'Isabella Cyrilli souriait doucement.

– Mais pourquoi ne répondent-ils pas ? Personne ne nous entend ? Tu devrais installer une sonnette, Hervé…

Ce dernier secouait maintenant son manteau en tendant l'oreille dans l'espoir d'entendre des clés tinter.

– Voyons, où je les ai mises ? Et toi, Isabella, tu n'as pas les tiennes ?

– Tu as oublié que tu viens de changer toutes les serrures et que tu ne m'as pas encore donné de deuxième jeu de clés ? remarqua posément sa femme.

– Ah oui ! C'est vrai ! Il faut que je t'en fabrique un…

Isabella regardait Hervé avec une pointe d'ironie.

– J'avais promis aux enfants qu'on reviendrait vite. J'aurais dû savoir qu'avec toi et tes raccourcis…

– Ne t'inquiète pas, ma jolie pâtissière d'amour, nos petits mousses sont certainement encore en train de dormir.

– Je ne m'inquiète pas, mon chéri, rétorqua Isabella. Mais il est près de midi… je ne pense pas qu'ils dorment encore à cette heure-ci. C'est bien la dernière fois que je te demande de m'aider à livrer mes gâteaux.

– Si les enfants sont debout, ils doivent être en train de déjeuner tranquillement dans la cuisine ou de lire un bon bouquin…

Boum !

Hervé Morse leva la tête vers la lucarne entrouverte à l'étage.

– Tiens, d'ailleurs, il me semble que j'entends du bruit dans la bibliothèque.

– C'est bien ce qui m'étonne. Lire, d'habitude, ça ne fait pas de bruit.

– Il n'y a aucune raison de s'énerver, Isabella, dit Hervé en essuyant nerveusement la sueur qui perlait sur son front. Mais par les moustaches d'Albert Einstein, où sont donc passées mes clés ?!

– Tu as regardé dans la poche de ta chemise ?

***

À présent, il faisait un peu plus clair dans la bibliothèque. Cet endroit, réputé le plus paisible et le plus ordonné du manoir, était le théâtre d'un spectacle désolant. Les milliers de livres, d'habitude bien rangés sur les étagères, jonchaient le sol. Le petit groupe d'enfants se tenait serré au milieu de la pièce.

– Mais que s'est-il passé ? dit Bernard en ramassant un exemplaire du *Petit Prince* qui trônait au sommet d'une montagne de livres.
– Je vous dis qu'il s'agit d'un tremblement de terre ! affirma Daphnée.
– Zinzibulle de zinzibulle ! Je veux bien, rétorqua Bernard. Mais, on n'a pas entendu la vaisselle bouger dans la cuisine…

Adèle se secoua, prise d'une angoisse incontrôlable.
– Il faut trouver Émile et Clément. Tout de suite ! s'écria-t-elle en soulevant une pile de bouquins, dans l'espoir que ses deux frères disparus se trouvent en dessous.

Bernard plongea dans un tas de bandes dessinées comme si c'était une piscine. Aidée de Fannie, Adèle s'affaira fébrilement à replacer les grandes encyclopédies sur leur étagère pour dégager le terrain. Daphnée et Gabriel avaient trouvé l'échelle et tentaient de la redresser pour l'accrocher aux rayons. Chacun fouillait avec frénésie à la recherche d'une trace d'Émile ou de Clément.

***

– Je savais bien qu'elles étaient dans ta chemise, dit doucement Isabella, un sourire indulgent aux lèvres. Quand tu perds tes clés, la clé pour les retrouver, c'est de te rappeler où tu les as rangées…

Hervé n'avait pas envie de plaisanter. Il enfonça la clé dans la nouvelle serrure qu'il venait d'installer et la fit

tourner afin de déclencher le mécanisme qui ouvrirait la porte.
– Je jurerais pourtant que je ne l'avais pas fermée à double tour, murmura-t-il. Il n'y avait aucune raison que j'enferme les enfants à double tour... Bizarre, bizarre...
– Chéri, tu as dit bizarre...
– J'ai dit bizarre ? Tiens, tiens, comme c'est bizarre...

***

Soudain, sous l'amas de livres, quelque chose bougea. Fannie, la première, le remarqua :
– Regaga... Redédez... Regardez ! Y a, y a, là là là... Une main main... une main main...
– On le voit bien que c'est une main, trancha Bernard.

C'était même la main de Clément qui émergeait du tas de bouquins ! Il fut rapidement entouré de ses frères et sœurs.
– Et Émile ? interrogea vivement Adèle.
– Émile va bien ! répondit la voix étouffée de Clément. Il a emporté *Le grand livre des lettres et des mots* dans la cave. Il va bientôt revenir.
– Quoi ?! s'écria Daphnée. *Le grand livre... des lettres... et des mots ?* Dans la cave ?

Cette histoire lui paraissait absurde, mais dans l'immédiat, il fallait aider son frère à sortir de cette montagne de bouquins qui le recouvrait. Dès que la tête de Clément fut dégagée, Daphnée le regarda droit dans les yeux.

– Répète ce que tu viens de nous dire, demanda-t-elle.

***

Hervé Morse poussa de toutes ses forces la porte d'entrée du manoir. En vain. Pour une raison inexplicable, elle restait bloquée.
– C'est sans doute l'humidité. Je pense que le mécanisme « magnétomatique » s'est rétracté dans le boîtier spatio-temporel qui n'a pas pu déclencher l'ouverture automatique. Il va falloir que je change encore ce système.
– Ah, dit Isabella avec un imperceptible soupir. Pourquoi ne pas installer une serrure normale, comme tout le monde ?
– Passe-moi une épingle à cheveux, dit Hervé en guise de réponse. Je vais crocheter la serrure.
Hervé Morse enfonça dans le trou de serrure le petit objet métallique que sa jolie pâtissière avait retiré de son chignon.
— Ah ! Ça y est ! dit-il, enthousiaste. Je viens d'entendre un clic. Tu vois, c'est aussi simple que ça…
Mais la porte ne voulait toujours pas céder.

***

– Émile est allé fouiller dans la bibliothèque, pendant que nous étions dans la cuisine en train d'essayer de comprendre pourquoi les 19 dernières lettres de l'alphabet avaient disparu, expliqua Clément. Il a découvert un livre étrange qu'il n'avait jamais vu auparavant…

– *Le grand livre des lettres et des mots,* murmura Fannie, subjuguée.

Son frère approuva d'un hochement de tête.

– En l'ouvrant, il a provoqué une forte secousse qui a fait tomber tous les volumes des rayons. Émile s'est donc réfugié dans la cave pour l'étudier.

Suspendus aux lèvres de Clément, les enfants Morse ne perdaient pas une miette de son récit.

– Il y a eu trois secousses, fit remarquer Gabriel.

– Chaque fois qu'Émile ouvrait son bouquin, tous les autres livres se mettaient à bouger et à sauter dans la bibliothèque comme s'ils étaient devenus fous.

– Et toi, qu'est-ce que tu faisais sous les livres ? demanda Adèle.

– Je cherchais ceci.

Clément tenait à la main une feuille de papier qui semblait avoir été arrachée d'un très vieux livre.

– Mais il n'y a rien d'écrit…, fit remarquer Fannie.

– Mouais ! Tout ce cinéma pour une stupide feuille blanche, bougonna Bernard.

– Ce n'est pas n'importe quelle feuille blanche ! rétorqua Clément. Il s'agit de la dernière page de la lettre G du *Grand livre des lettres et des mots*. Regardez, d'ailleurs, elle n'est pas tout à fait blanche…

– 213…, dit Fannie en déchiffrant le chiffre inscrit en bas de la page. Et alors ?
– Quand Émile a commencé à examiner ce mystérieux bouquin, il s'est rendu compte qu'il manquait une page… la 213. C'est peut-être la clé…

Clément s'interrompit brusquement au milieu de son explication et se précipita vers la cave.

***

Sans perdre son calme légendaire, Isabella décida qu'il était temps de prendre la situation (et la clé !) en main.
– Laisse-moi faire, mon chéri.

Elle ramassa l'épingle qu'Hervé avait échappée par terre et la piqua dans son chignon. Puis, elle enfonça la clé dans la serrure, tourna une fois, deux fois.
– Et voilà… Sésame, ouvre-toi !

Et, comme par enchantement, la porte s'ouvrit sans difficulté.
– Tu as réussi ! s'exclama Hervé. Comment tu as fait ?
– Hé hé, ça, c'est ma petite touche féminine.
– En tout cas, tu vois que ma nouvelle serrure est tout ce qu'il y a de plus efficace contre les voleurs…
– Et contre les propriétaires aussi ?!

***

Dans la cave, Clément tendit la page blanche à Émile, qui la glissa à sa place dans le *Grand livre des lettres et des mots*, telle la dernière pièce d'un incompréhensible casse-tête. Puis il referma le volume avec soin. Mais rien ne se passa. Déçu, il interrogea Clément des yeux. Celui-ci haussa les épaules. Que pouvaient-ils faire de plus ? Ils décidèrent de remonter consulter leurs frères et sœurs.

Un incroyable spectacle les attendait dans la bibliothèque. Les livres décollaient du sol et reprenaient leur place sur les rayons à la vitesse de l'éclair. Fannie, qui tenait toujours la main de Gabriel, ouvrait de grands yeux comme si elle venait de rencontrer le père Noël en personne. Adèle et Daphnée restaient les bras ballants, la mâchoire décrochée, comme si elles découvraient la huitième merveille du monde.

Quant à Bernard, il se penchait à gauche puis à droite pour éviter les recueils de poésie, les romans policiers, les bandes dessinées, les livres scientifiques, les dictionnaires... qui filaient dans les airs.

* * *

Hervé et Isabella Morse entrèrent sans faire de bruit dans la bibliothèque. Ils ne voulaient pas déranger le calme et l'harmonie qui y régnait.

Debout près d'une fenêtre, Gabriel récitait son alphabet.

– G, H, I, J, K, L...

Un sourire rempli de fierté lui dessinait les fossettes qui faisaient tant craquer ses parents. Hervé entoura les épaules d'Isabella.

– Tu vois, ma jolie pâtissière d'amour, je t'avais dit de ne pas t'inquiéter, les enfants sont sagement en train de bouquiner dans la bibliothèque.

Gabriel ne pouvait plus s'arrêter.

– M, N, O, P…

Émile tenait serré contre lui *Le grand livre des lettres et des mots*. Il se promit d'attendre que tout le monde soit sorti pour recoller soigneusement la mystérieuse page 213. « Mais au fait, qui avait bien pu l'arracher ? » se demanda-t-il en fronçant les sourcils.

– Q, R, S, T, U, V… V… V…

D'un seul mouvement, les six frères et sœurs de Gabriel levèrent la tête, inquiets. Oh non ! Gabriel était-il de nouveau bloqué ?

– W, X, Y, Z ! récitèrent d'une seule voix les sept enfants de la famille Morse.

À ce moment, Alphie le chat se rapprocha d'Isabella en ronronnant. Elle le prit dans ses bras. Tout en le caressant, elle admira avec tendresse sa famille.

– Qu'ils sont mignons… Oh oui, on a de beaux enfants !

Personne ne remarqua le petit bout de feuille que le matou tenait encore entre ses griffes.

# Pour les Morse

UNE HISTOIRE DE LAURENCE AURÉLIE

Il existe un village où je ne me suis jamais promenée. J'ai souvent visité les bourgades avoisinantes. Les maisons y sont magnifiques, les paysages bucoliques, les lacs riches et apaisants. On m'a dit que Bradel est charmant. Son seul défaut? Avec des familles qui y sont établies depuis plusieurs générations, tout le monde se connaît et connaît tout sur tout le monde. Pas de cachotteries, de menteries ni de magouilles. Pas de place non plus pour la nouveauté… et moi, j'aime la nouveauté.

Mais l'arrivée de la famille Morse change les choses. Isabella, la nièce de la regrettée Isadora Cyrilli, vient d'emménager avec son mari et leurs sept enfants dans le manoir de la rue Rang-Doignon. Des inconnus qui s'installent par ici, ça promet d'être intéressant. Il est temps que je visite ce village.

On m'a dit que les Bradelois sont habituellement très accueillants avec les visiteurs. Tout est mis en œuvre pour leur plaire et chaque habitant y va de son aimable contribution : bas tricotés à la main par le Club des anciens, histoires au coin du feu, visites guidées à travers les rues colorées du village… Toutefois, les Morse ne séjournent pas au motel *Le marchand de sable* comme les autres visiteurs. Ils ont emménagé au manoir pour y rester. Peut-être est-ce la raison de cette froide attitude à laquelle ils ont eu droit depuis leur arrivée ? C'est tout de même bien curieux.

***

Le village endormi est si silencieux qu'on le croirait muet. La nuit a englouti tout rayon de lumière qui aurait pu vouloir passer par là. Seul un nuage de farine, blanc et duveteux, qui s'échappe de la cheminée du *Croquembouche,* tranche sur la toile noire. À l'intérieur de sa boulangerie-pâtisserie, madame Grisol s'affaire à ses fourneaux. Elle prépare miches, bagels, baguettes, croissants, chocolatines et tartelettes pour les Bradelois. Sa boutique est la première ouverte. Avant même que le soleil émerge de l'autre côté du lac Majuscule, madame Grisol est prête à recevoir les clients les plus matinaux avec les produits qu'elle a concoctés pendant la nuit.

Je colle mon nez sur la fenêtre pour regarder la boulangère travailler. J'ai sûrement un air menaçant dans l'obscurité. Pourtant, madame Grisol ne sursaute pas lorsque son regard se dirige vers moi. Elle vient m'ouvrir d'un pas sautillant et secoue son tablier plein de farine. Moi, j'en profite pour lorgner du côté de la vitrine des pâtisseries. Elle n'est pas encore totalement remplie. Isabella Cyrilli, la nouvelle pâtissière, viendra livrer ses gâteaux plus tard dans la journée.

Mmmm... L'air embaume le chocolat chaud.

– J'aime voyager la nuit. On voit ces choses que les gens ne voient pas d'ordinaire. C'est comme se promener en coulisse avant un spectacle, dis-je à la boulangère, devinant à son expression qu'elle se demande ce que je fais dans les rues de si bonne heure.

Les joues roses sous des taches de farine, madame Grisol continue de pétrir sa pâte, les sourcils froncés par l'effort et la concentration.

– Je n'ai jamais visité ce village. Ce doit être superbe à la lumière du jour !

La boulangère lève les yeux sans ralentir son mouvement souple. Comme pour elle-même, elle lance :

– Ce sera une belle journée, le ciel est clair. Un temps parfait pour une promenade au bord du lac Majuscule. Le lever du soleil y est magnifique. Si je pouvais, j'irais bien l'admirer ce matin.

– Merci du tuyau ! J'irai et je penserai à vous !
– Le lac Minuscule est à voir aussi, mais il est plus loin, à quelques kilomètres du manoir Cyrilli.
– Le manoir Cyrilli ? On m'a dit qu'une nouvelle famille venait d'y emménager. Les Morse ?
– Ah… les Morse… Quelle drô…

La phrase de Madame Grisol reste en suspens. Un silence. Puis une alarme sonne dans la cuisine. Madame Grisol sort soudainement de la lune comme si elle s'échappait d'un sort qu'on lui aurait jeté. De son pas dansant, elle s'engouffre dans la pièce du fond et en ressort avec un plateau de croissants au beurre dans les mains. Elle dispose ses produits frais dans la vitrine et poursuit sa réflexion.
– … une drôle de famille. Beaucoup d'enfants. La première qui s'installe à Bradel depuis 90 ans. Ils sont étranges.
– C'est sûrement pour ça que vos voisins de Braille, de Phénicie et de Garamond racontent que les nouveaux à Bradel ont été mal reçus. Vous les trouvez bizarres ?
– Plus secrets qu'étranges, en fait. Depuis cinq semaines, Isabella vient livrer ses gâteaux et je n'ai encore rien appris sur sa vie d'avant Bradel.
– Un secret ! Peut-être qu'ils ont quelque chose à cacher ?

Madame Grisol fronce les sourcils un cran de plus.
– … Isadora ne nous a jamais révélé l'existence d'une nièce. Elle qui aimait tant placoter de tout un chacun.

Pourquoi aurait-elle omis de nous parler d'Isabella si elle l'aimait au point de lui léguer son manoir ?

Madame Grisol affiche à nouveau son sourire enjoué, mais son regard s'est égaré. Un secret ici ? J'en ai dit assez. Peut-être trop ! Il est temps de continuer mon exploration du village.

***

Je suis encore assise en tailleur au bout du quai, émue par le lever du soleil, quand monsieur Fidel arrive, son chien sur les talons.

– C'est beau ! s'extasie le vieux promeneur. On ne se lasse pas de contempler ce spectacle. Trente ans que j'y viens. Ça fait… Apostrophe ? Viens, viens mon chien. Ça fait… 10 950 fois. Moins les jours de pluie. Et ceux de brouillard. Et aussi ceux où je ne pouvais plus arrêter les moulins à paroles que sont Paulette et Bénédicte, au *Brouillé et Toqué*.

Le vieil homme semble perdu dans sa tête, mais son chien, lui, m'a sentie tout de suite et me renifle avec empressement et fébrilité. Il a envie de jouer, c'est évident.

– Apostrophe, mon chien ! Viens, viens ici ! Voilà ! Je vais devoir te remettre ton harnais si tu continues à fuir ainsi. Tu es mes yeux ! J'ai beau connaître cette grève par cœur, tu ne peux pas t'éloigner comme ça !

Anciano Fidel flatte la tête de son chien. Il sort la laisse de sa poche et l'attache à tâtons au collier d'Apostrophe.

– Même sans ma vue d'autrefois, je vois encore la lumière et je ressens la chaleur de ces levers de soleil. Les couleurs me manquent… Mais il faut être reconnaissant à la vie pour les belles choses qu'elle nous offre. Parce qu'elle nous les reprend un jour.

Monsieur Fidel affiche un air triste. Il regarde vers l'horizon, puis se racle la gorge.

– On s'ennuie beaucoup des baignades dans le lac, hein, Apostrophe ? Satanés bouillons bleus, aussi… Plus moyen de mettre le pied ou la patte à l'eau sans que se forment de grosses bulles, comme si le lac se mettait à bouillir sans pourtant devenir brûlant.

– Des bulles bleues ? Ce doit être amusant !

– Oui, bien sûr, moi aussi je trouvais ça amusant quand on m'a décrit la situation. Je ne vois plus très bien, alors je ne pouvais qu'imaginer les enfants sortant de l'eau avec des maillots tout bleus ! Mais ensuite j'ai appris que ces bulles tachent tout ce qu'elles touchent et qu'on n'arrive pas à faire partir la couleur. Ah, là ! Ça a bien changé les choses. Mon pauvre chien tout coloré. Mes amis me l'ont dit. Il est bleu, mon pauvre chien. Cinq semaines qu'on ne marche plus dans l'eau, hein, Apostrophe ?

– N'y a-t-il pas précisément cinq semaines et deux jours qu'une nouvelle famille a emménagé dans le manoir ?

Ses yeux aveugles agrandis par la surprise, monsieur Fidel s'exclame :

– Cinq semaines qu'Apostrophe s'est taché... Cinq semaines que les Morse sont arrivés...

Je reprends la parole:

– On m'a raconté qu'Isabella ne serait peut-être pas la nièce d'Isadora, après tout...

Son regard reste dans le vide, mais monsieur Fidel parvient à articuler:

– Sa nièce... Isadora ne nous a jamais parlé d'elle. Pourtant, à Bradel, on sait tout sur... Les Morse sont bien étranges... Seraient-ils liés aux bouill...

Songeur, il ne termine pas sa phrase.

Le soleil est complètement sorti de l'eau. Je me lève d'un bond.

– Je dois vous quitter. C'était un plaisir de vous rencontrer, monsieur. Vous aussi, Apostrophe.

Monsieur Fidel secoue machinalement sa main pour appeler son chien. Apostrophe se place à ses côtés, prêt à marcher. Mais ni l'un ni l'autre ne semble vouloir se remettre en mouvement.

***

Paulette Brouillé et Bénédicte Toqué sont réputées pour préparer les meilleurs déjeuners de toute la région. Des œufs bien baveux, du bacon croustillant, des rôties beurrées des deux côtés, de la confiture maison aux petites baies, du thé parfumé aux fleurs de Bradel, chaque plat est délicieux chez *Brouillé et Toqué*!

Une bouffée d'air chaud m'embrasse lorsque je pousse la porte. Le lieu est bondé et des rires fusent de toutes parts. Une grosse dame m'accueille, avec une attitude si gaie qu'il m'est impossible de ne pas sourire. Elle m'installe au comptoir, à l'une des deux seules places encore libres. Devant moi, une femme aussi mince que l'autre est corpulente sautille entre les différents postes de la cuisine. Elle glisse d'épaisses tranches de pain sur le gril, retourne les œufs dans la poêle, dispose des morceaux de fraises en éventail. Elle sort du four une plaque remplie de bacon, pèle une banane et la coupe en rondelles. Je cligne des yeux. Les œufs et le bacon sont déjà dans une assiette avec les fruits et les tranches de pain. La femme fluette sonne la cloche et a à peine le temps de verser le contenu du mélangeur dans des verres, d'y ajouter quartiers d'orange et pailles que la serveuse ramasse la commande et repart. Je me dis que ce n'est certainement pas maintenant que j'en apprendrai plus sur Bradel…

Et pourtant! Même si les deux femmes papillonnent en tous sens, elles parviennent à placoter comme si elles récitaient des monologues dans une pièce de théâtre. Il me suffira donc de les écouter!

Bénédicte, la serveuse, arrive au comptoir et saisit plats et verres qui attendent.

– Paulette, monsieur Tartatin s'est régalé. Il dit que ta confiture de potiron est encore meilleure que d'habitude !

Elle s'élance vers l'autre bout de la salle, les bras chargés d'assiettes. La cuisinière, qui me tourne le dos, s'agite en expliquant :

– Ah ! Ma sœur... On est jumelles identiques, mais on se ressemble autant qu'un point d'exclamation et un œuf ! C'est ma faute. Depuis que nous avons ouvert *Brouillé et Toqué,* Bénédicte ne peut plus arrêter de manger.

– Oh oui ! Je suis gourmande, Paulette, lance Bénédicte en déposant quelques plats sales dans le grand évier. Et tu cuisines divinement ! On était faites pour être jumelles ! Heureusement que tu es si rapide, ça m'oblige à courir entre les tables pour faire le service ! C'est au moins ça !

J'ouvre enfin mon menu, mais je n'ai pas le temps de lire un seul mot, car je suis distraite par Bénédicte qui vient de repartir avec un plat majestueux. Une demi-pastèque a été vidée et retournée pour servir de bol. À l'intérieur, une sculpture construite de fruits frais représente de célèbres Bradelois. Très impressionnant !

– Bénédicte, tu ne dis pas tout, fait Paulette en se tournant vers la plaque à crêpes. C'est aussi à cause de la pataterie *Chez Flo* que tu as grossi ! Tu les adores ses frites !

Bénédicte disparaît. Je baisse les yeux. La serveuse est déjà là.

– Mais avoue, Paulette, que j'ai perdu beaucoup de poids depuis que la pataterie est fermée, se désole-t-elle en saisissant une crêpe pliée en forme de cygne dans une sauce au caramel.

Paulette s'arrête une fraction de seconde, les poings sur les hanches.

– Pauvre Flo.

Elle soupire et retrouve sa cadence.

– Ses machines se sont déréglées il y a quelques semaines.

– Cinq semaines, deux jours et six heures, Paulette. C'est insupportable.

– Tu… l'as… vue… ré… cemment ? dit Paulette dont la voix tressaute lorsqu'elle donne un coup sur sa poêle.

Les tranches de pommes retombent gracieusement dans le beurre fondu.

– Non, bien sûr, difficile d'imaginer Flo sans ses machines. Une table de douze, Paulette !

Bénédicte saisit l'assiette de pain doré aux pommes grillées, dépose une longue commande sur le comptoir et reprend son slalom entre les tables.

Pour la première fois, Paulette regarde dans ma direction. Je l'écoute, inquiète de voir la cuisinière s'interrompre alors qu'une commande pour douze personnes attend devant elle. Elle lance d'un souffle :

– Flo est née ici il y a fort longtemps. Elle était minuscule et ne grandissait pas. Sa mère, une inventrice renommée mondialement, lui a créé une machine extraordinaire avec des poulies pour lui permettre de s'étirer. Comme Flo a passé son enfance dans cette machine, elle n'a jamais appris à côtoyer les autres. Elle a développé un genre d'allerg…

Les douze assiettes sont sur le comptoir. Je n'en reviens pas. J'ai dû la quitter des yeux seulement cinq secondes pour saluer l'homme qui s'est assis près de moi. Comment a-t-elle pu préparer douze assiettes dans un aussi court laps de temps ?

– … gie aux gens. Sa mère lui a tout montré sur la création de machines perfectionnées. Alors Flo a construit une cantine capable de prendre les commandes des clients et de les servir sans qu'elle ait à montrer le bout de son nez. Elle n'a jamais commis la moindre erreur. Mais un matin, voilà que la machine a commencé à mélanger les commandes et à broyer les aliments : bouillie de frites, jus de hamburgers, coulis de hot-dogs, rien de très ragoûtant. Flo a dû fermer afin de réparer sa cantine. Ça fait quelques semaines déjà…

Paulette verse une pâte liquide dans le gaufrier, essuie le comptoir, lave sa louche, prépare un pamplemousse. Je me penche vers le menu devant moi, mais revoilà Bénédicte. Elle lâche, tout près de mon oreille :

– Cinq semaines, deux jours et six heures, Paulette.

Je relève la tête et précise :

– Le jour où les Morse ont emménagé dans le manoir.

– L'arrivée des Morse…, clament en chœur les jumelles.

Paulette et Bénédicte se figent. Cette fois, je peux lire le menu au complet avant que les deux sœurs se remettent à parler.

***

J'aime beaucoup Bradel. Les gens sont si gentils. Il est bien agréable de discuter avec eux ouvertement. J'adore les histoires et, ici, elles se propagent de façon impressionnante.

Samedi, chez le coiffeur, monsieur Demèche a insinué que ce sont les enfants Émile et Gabriel Morse qui ont provoqué les bouillons en se baignant dans le lac le jour de leur arrivée.

– Pas étonnant, Gabriel a six orteils, ce n'est pas normal, ça ! Et Émile, l'inventeur…

Madame Papillotte a insisté :

– Ils portent une malédiction. Leur peau doit être toxique !

Dimanche, sur l'avenue Capitale, monsieur Tartatin racontait à monsieur Essieux qu'Isabella était envoyée par les riverains du lac Grevisse pour transmettre la malédiction de la famille à tout Bradel.

Lundi, en visitant le jardin Gardé, madame Pinson a confié à Iris et Capucine, les fleuristes venues cueillir leurs fleurs :

– La famille Morse est là pour nous punir de n'avoir pas entretenu le parc du manoir après la mort d'Isadora.

Toute la semaine, j'ai écouté des Bradelois tenter de s'expliquer ce qui se passait depuis cinq semaines. Chaque fois, j'ai essayé de ne pas m'en mêler… en rapportant simplement ce qu'on m'avait confié.

***

Le mardi, Isabella Cyrilli livre de magnifiques gâteaux à la pâtisserie *Le croquembouche.* Charmés, les Bradelois oublient aussitôt les racontars. Tout le monde est d'accord, Isabella est la reine des pièces montées dont l'équilibre relève de la magie.

Je décide de me faire petite quelque temps. Je suis perplexe: alors que tous les Bradelois attribuaient une malédiction aux Morse, les voilà qui se gavent volontiers des gâteaux d'Isabella sans même se préoccuper des ingrédients maléfiques qu'elle aurait pu y mettre.

Puis un jour, monsieur Lenvoyé, commis au bureau de poste, reçoit un colis emballé de papier brun adressé aux Morse. L'étiquette du paquet indique: « Pour Isabella Cyrilli et sa famille, Manoir de la rue du Rang-Doignon, Bradel », et dans le coin gauche, on peut lire: « De tante Isadora ».

Il n'en faut pas plus pour que les bavardages reprennent du service à Bradel. Par ici, on chuchote que ce paquet vient d'Isadora, encore vivante, mais sans doute en grand danger. Par là, on murmure qu'Isabella n'est pas la nièce d'Isadora et qu'elle s'est fait livrer un colis pour brouiller les pistes. Pour ma part, j'insinue que le fantôme d'Isadora envoie un paquet aux Morse afin de les punir d'avoir volé le manoir.

Monsieur Lenvoyé hésite: faut-il remettre ou non le colis aux destinataires? Ne sachant que faire, il demande son avis à madame Auposte, la mairesse. L'heure est grave. Madame Auposte convoque la première assemblée de citoyens de l'histoire du village.

– Chères Bradeloises, chers Bradelois, nous avons une décision à prendre. Que ferons-nous avec ce paquet? Discutons d'abord, puis nous voterons.

– D'abord, pourquoi les Morse sont-ils absents? demande Flo qui assiste à la réunion par téléphone, bien cachée dans sa cantine.

– Enfin, il n'est pas question qu'ils soient là! répond vivement monsieur Lenvoyé. Il en va de la sécurité de Bradel!

– Moi, je vote pour qu'on leur remette le paquet, lance madame Grisol.

Protestations dans la foule.

La mairesse ramène l'ordre avec autorité et donne la parole à monsieur Essieux.

– Isadora ne nous aurait jamais envoyé quelque chose qui nous ferait du mal. Son fantôme ne le ferait pas davantage.

Clameurs d'approbation.

Encouragée, madame Auposte continue:

– Une femme qui fait d'aussi bons gâteaux ne peut pas avoir une once de méchanceté. Ni sa famille, d'ailleurs.

Je me fais l'avocate du diable :

– Mais, pensez-y, un paquet d'Isadora alors qu'elle est morte depuis deux ans...

Murmures dans l'assemblée.

Madame Octane, la garagiste, intervient :

– Il ne faut pas oublier non plus tout ce qui se passe au village depuis que les Morse ont emménagé. On dirait qu'ils portent une malédiction.

Grondements dans la salle.

– On ouvre le paquet, on le vérifie et on le leur remet, propose monsieur Lanote, enseignant à l'école *L'encrier.*

Monsieur Lenvoyé objecte aussitôt :

– On n'ouvre pas le courrier des gens !

– Mais il s'agit d'une situation exceptionnelle !

Madame Auposte demande le vote. À la quasi-unanimité, les Bradelois décident qu'on ouvrira le paquet avant de le remettre aux Morse.

Mais qui prendra ce risque parmi les villageois ? Après tout, on ne sait toujours pas ce qu'il y a dans le fameux colis ! Ça pourrait être très dangereux.

Flo propose d'utiliser le mécanisme de sa cantine. L'appareil ouvrira le paquet sans que personne n'ait à y mettre les mains. Advenant que le colis explose, seule la machine sera détruite, et non un villageois. De toute manière, sa cantine mécanique a tellement besoin de réajustements que ce ne sera pas une grosse perte. Parfois, il vaut mieux repartir de zéro !

On soupire de soulagement et on déclare l'assemblée levée. L'ouverture du paquet doit se faire le lendemain matin.

À 10 heures le lendemain, tous les villageois se massent devant la pataterie, en attente d'une réponse au grand mystère de la boîte. Flo rapporte ses observations à ses concitoyens.

– La machine a fait de la bouillie avec le papier, crie-t-elle depuis l'intérieur de sa cantine. Mais la boîte n'est pas endommagée. Bon, je jette un coup d'œil.

Nerveux, les villageois retiennent leur souffle. Flo explose… de rire. Plus rien ne peut arrêter son fou rire.

Le colis apparaît à la fenêtre de la pataterie et madame Auposte le prend dans ses mains. Elle regarde à l'intérieur, puis… verse une larme et retourne dans la foule.

Les Bradelois sont déconcertés. Que contient donc cette boîte ? Pourquoi aucune des deux femmes ne dit-elle ce qu'elle a vu ?

Monsieur Lanote se précipite vers le colis. Il y plonge les yeux et ricane en tapant sur son gros ventre. C'est ensuite le tour de madame Octane qui éclate d'un grand rire bref, puis de madame Grisol qui cligne des yeux, de Paulette Brouillé, qui baisse la tête, et de Bénédicte Toqué qui remonte ses lunettes fumées. Toutes les deux sont muettes.

Iris et Capucine affichent l'air le plus surpris qu'on ait vu sur un ou même deux visages !

À tour de rôle, tous les Bradelois ont la chance d'examiner le contenu de la boîte. Évidemment, rien de bien méchant ne s'y trouvant, on décide de remettre le colis à Isabella et à sa famille.

***

Dès la minute où monsieur Lenvoyé livra le paquet au manoir, on ne se méfia plus des Morse. Les bouillons bleus cessèrent dans le lac Majuscule. La machine de Flo reprit son bon fonctionnement sans que la petite femme ait besoin d'y ajuster quoi que ce soit. Et les gâteaux d'Isabella parurent encore meilleurs.

Je quittai Bradel et n'y revins que le jour où une famille étrangère emménagea dans le petit manoir derrière la butte au bout du chemin de la Plaine. Bien des années plus tard.

Qu'y avait-il dans le colis ? Un bout de papier sur lequel était inscrit : « *Je vous ai bien eus ? Je ne pouvais pas disparaître sans vous faire quelques dernières farces ! Ma nièce et sa famille ont tout organisé à ma demande. Je pense à vous de là où je suis. Prenez bien soin des Morse. Isadora.* » En tout cas, c'est ce que j'aime raconter au fil de mes voyages. On me répond souvent : « Oh ! toi, Rumeur, tu propages bien ce que tu veux, ça ne veut pas dire que ce soit vrai. »

# Sophie Rondeau

Sophie Rondeau habite en Montérégie, au cœur d'une petite municipalité. Elle est auteure, mais également enseignante de français au secondaire et maman de quatre enfants. Elle a écrit près d'une trentaine de livres de toutes sortes : albums illustrés, romans pour enfants ou adolescents et livres pratiques pour parents. La plupart du temps, elle écrit le soir, dans son lit, dans un grand cahier coloré. Sophie adore se promener dans son quartier, lire des romans policiers et cuisiner de délicieux desserts.

En 2010, son roman *Louka cent peurs* a remporté le Grand Prix du livre de la Montérégie, catégorie Fiction jeunesse primaire. En 2010 également, ce même livre a été sélectionné par le White Ravens comme l'un des 250 meilleurs livres jeunesse de l'année.

Sophie vient d'une famille recomposée : elle a deux frères, deux sœurs, un demi-frère et une demi-sœur. C'est en pensant à son enfance et à tous les mauvais coups qu'elle a préparés ou subis qu'elle a imaginé l'histoire « Les esprits vengeurs ». Avoir des frères et sœurs ne serait jamais aussi amusant si l'on ne pouvait les taquiner !

## Manon Plouffe

Dès son plus jeune âge, Manon Plouffe s'est passionnée pour la lecture, l'écriture et les voyages. Les livres qu'elle a lus et ses nombreux périples l'ont amenée à vivre des moments inoubliables dans près de trente pays et sur tous les continents.

Jusqu'à ce jour, Manon Plouffe a publié seize livres et nouvelles, essentiellement pour les jeunes, dont *Louis Jolliet, explorateur et cartographe*, aux Éditions Isatis, qui raconte la vie d'un aventurier québécois et grand voyageur.

Dans tous les pays que l'auteure a visités, l'affichette qu'on peut voir sur la porte des chambres d'hôtel, PRIÈRE DE NE PAS DÉRANGER, l'a toujours fascinée. Manon s'est souvent demandé pour quelle raison les clients apposaient cette affichette. Pour cacher qu'ils mangent des tonnes de biscuits soda dans leur lit ? Qu'ils font des batailles d'oreillers au beau milieu de la nuit ? Manon a souvent eu envie de retourner la fameuse petite affiche pour qu'apparaissent les mots SVP, FAITES LA CHAMBRE. Dans la présente nouvelle « Prière de ne pas déranger », elle a imaginé un personnage mystérieux qui fait bien autre chose que de lire un roman amusant dans son bain rempli de grosses bulles…

# Louise Tondreau-Levert

Louise Tondreau-Levert est née dans le quartier Rosemont à Montréal, mais elle a toujours passé les vacances d'été à la campagne. Elle s'amusait alors à inventer des personnages farfelus et elle avait même une amie imaginaire ! Louise et son amie inventée pique-niquaient sous les arbres et s'occupaient ensemble des poupées et des toutous.

Louise aimait beaucoup l'école et elle adorait lire, surtout des contes de fées. Depuis, elle concocte des histoires avec des personnages incroyables, entres autres *Virevent le petit fantôme* qui veut jouer avec les enfants, la petite Pastille qui refuse de dormir dans son lit (*Le lit à grimaces*) et un prince qui part à la chasse aux monstres (*Les monstres du prince Louis*). Elle prend aussi beaucoup de plaisir à raconter ses histoires de vive voix aux petits et aux grands.

En plus des contes, Louise écrit des bêtises ! *Les bêtises des parents,* premier livre de la série « Les bêtises », est une caricature de la vie de parents très, très occupés. Sans parler de celle des enfants et des grands-parents !

« L'orteil maudit », sa dixième nouvelle, est un bel exemple de son imagination débridée. Vous y trouverez de savoureux personnages, d'incroyables gâteaux et des enfants qui connaissent tous les passages secrets du manoir de vingt-six pièces du village de Bradel.

# Étienne Poirier

Étienne Poirier a grandi dans le quartier Sainte-Rose à Laval. C'est à dix ans, en lisant *L'île au trésor*, qu'il a découvert son goût pour les lettres, goût qu'il a entretenu tout au long de ses études. Et il a étudié longtemps !

Après l'université, la vie l'a promené à Montréal, puis à Manawan, une petite communauté autochtone du Nord lanaudois, qui lui a inspiré ses deux premiers romans pour la jeunesse, *La clé de la nuit* (sélectionné par Communication-Jeunesse) et *L'envol du pygargue* (finaliste au prix Québec/Wallonie-Bruxelles de littérature de jeunesse 2011). Son troisième roman, *Qu'est-ce qui fait courir Mamadi ?*, est finaliste à plusieurs prix littéraires, comme le prix Jeunesse des libraires du Québec 2014.

Étienne Poirier habite maintenant la Mauricie et partage son temps entre la ville de Trois-Rivières et la petite réserve atikamekw, où il enseigne toujours le français.

Grand amateur de camping et de plein air depuis sa plus tendre enfance, « Le grand tour du Malmont » lui a été inspiré par une excursion en famille dans les Appalaches et par toutes les soirées qu'il a passées au bord du feu à raconter et à écouter des histoires en tous genres.

# Julie Royer

Comme Adèle Morse, Julie Royer est l'aînée de sa fratrie. Comme Adèle, Julie est passionnée par les chapeaux et les déguisements. Comme Adèle, Julie aime rêver et se perdre dans le dictionnaire en y cherchant une définition. C'est que Julie, comme Adèle, est animée par l'amour des mots et des livres. D'ailleurs, Julie aime tellement lire, parler et chanter qu'elle en a fait un métier!

Eh oui! Depuis vingt et un ans, Julie va là où on l'invite, sous les traits de Gribouille Bouille, afin de chanter ses chansons et conter ses histoires. Julie écrit en effet, pour son personnage, des spectacles, de la musique et même des romans! Ceux-ci sont publiés aux Éditions du Phoenix. Mais elle conçoit et anime également une émission destinée à la jeunesse intitulée *Gribouille Bouille,* diffusée sur les ondes de TVCOGECO.

Enfin, comme Adèle, Julie écrit pour réaliser ses rêves les plus fous! Voilà pourquoi, en plongeant dans l'univers imaginé par Sophie Rondeau, elle a été particulièrement inspirée par ce personnage d'Adèle. En se glissant dans sa peau, un stylo lumineux entre les doigts, Julie a vécu une expérience d'écriture fantastique. C'est avec joie qu'elle vous présente le texte qui en a résulté.

# Pascal Henrard

Pascal Henrard vit de sa plume et de ses idées depuis plus de vingt ans.

Il a commencé dans une agence de publicité à Bruxelles, en Belgique. En 1988, l'agence Tam Tam l'engage et l'envoie travailler à Montréal. Il a ensuite carburé pour les plus grandes agences du Québec et du Canada comme concepteur-rédacteur et directeur de création.

Pendant dix ans, Pascal a été concepteur libre pour des agences d'ici et d'ailleurs ainsi que pour des clients directs. En 2007, il a pris la tête de l'équipe de création et de l'image de marque d'ARTV.

Depuis septembre 2010, il se consacre à l'écriture pour des documentaires, pour le magazine *Urbania*, pour le *Huffington Post*, pour l'ONF, pour des projets multiplateformes, pour du contenu de marques, pour des agences de pub… Il a été coauteur du *Fric Show* animé par Marc Labrèche et a écrit une quinzaine de livres essentiellement pour la jeunesse. Il a gagné de nombreux prix à Montréal, New York, Los Angeles et Londres.

## Laurence Aurélie

Laurence n'a pas toujours voulu être écrivaine. L'écriture c'était plutôt le domaine de sa mère et de son frère. Elle, elle rêvait de devenir éditrice, comme son père ! Puis un jour, en convalescence, elle a écrit « Il était une fois » dans un carnet et une histoire complète a déboulé toute seule. Cinq ans plus tard paraissait aux éditions Les 400 coups *Une histoire de fée*, son premier livre. Maintenant, Laurence a besoin d'écrire très souvent, sinon elle devient malcommode et de mauvaise humeur !

L'univers de Sophie Rondeau a tout de suite stimulé l'imagination de Laurence et le thème du recueil, la malédiction, l'a bien inspirée. Aussitôt la décision prise de participer à ce projet collectif, Laurence a couché sur papier quelques pistes d'histoires. Des dizaines de mots éparpillés sur une feuille mobile et voilà que de ce brouillon illisible est née une nouvelle. C'était la première fois que Laurence écrivait pour ce groupe d'âge. Elle a adoré l'expérience et attend avec impatience le prochain recueil de l'AEQJ pour reprendre sa plume et retrouver ce monde surprenant !

## L'Association des écrivains québécois pour la jeunesse (AEQJ)

Depuis 1992, l'Association des écrivains québécois pour la jeunesse œuvre à la promotion de la littérature jeunesse et représente ses membres auprès de la population, des pouvoirs publics, des médias et de l'ensemble des intervenants du monde de l'édition.

L'Association compte de nombreuses réalisations. Pensons aux rencontres d'auteurs qu'elle organise depuis sa création, pendant lesquelles elle a mis en contact plus de 50 000 jeunes avec des centaines d'écrivains québécois – un exploit digne de mention.

Depuis 1997, dans le cadre du Prix Cécile-Gagnon, qui a pour but de stimuler la relève chez les auteurs pour la jeunesse, l'AEQJ a aussi remis 20 000 $ en bourses à des écrivains qui publiaient une première œuvre destinée aux enfants ou aux adolescents. Notons que la pérennité de ce prix est en partie rendue possible grâce à la participation des membres de l'AEQJ, qui contribuent, à tour de rôle et de façon bénévole, à l'écriture des recueils collectifs annuels (comme celui que vous avez entre les mains), dont les droits d'auteurs servent à financer le prix.

Pour en savoir plus : www.AEQJ.com

# Table des matières



**Notices biographiques**

**Catalogage avant publication de Bibliothèque et Archives nationales du Québec et Bibliothèque et Archives Canada**

Vedette principale au titre:
Malédictions au manoir:
sept histoires à dormir debout

Pour les jeunes.

ISBN 978-2-89739-095-2

1. Histoires pour enfants québécoises.
2. Bénédiction et malédiction-Romans, nouvelles, etc. pour la jeunesse.
I. Rodrigue, Annie, 1982- .
II. Association des écrivains québécois pour la jeunesse.

PS8329.5.Q4M34 2014 jC843'.010806
C2014-941068-9
PS9329.5.Q4M34 2014



Direction littéraire:
Danielle Marcotte, Agnès Huguet
Direction artistique: Agnès Huguet
Révision et correction: Céline Vangheluwe
Conception graphique: Nancy Jacques

Dépôt légal: 3e trimestre 2014
Bibliothèque et
Archives nationales du Québec
Bibliothèque et Archives Canada

Dominique et compagnie
1101, avenue Victoria
Saint-Lambert (Québec) J4R 1P8
Téléphone: 514 875-0327
Télécopieur: 450 672-5448
Courriel: dominiqueetcompagnie@editionsheritage.com
www.dominiqueetcompagnie.com

Imprimé au Canada

Nous reconnaissons l'aide financière du gouvernement du Canada par l'entremise du Fonds du livre du Canada et du Conseil des Arts du Canada.

Nous reconnaissons l'aide financière du gouvernement du Québec par l'entremise du Programme de crédit d'impôt – SODEC – Programme d'aide à l'édition de livres.

NOTE: Les membres de l'Association des écrivains québécois pour la jeunesse (AEQJ) qui ont participé à ce projet renoncent à percevoir les droits d'auteur de ce recueil. Ces droits serviront à financer le Prix Cécile Gagnon, offert annuellement à un écrivain de la relève. Encourager la relève est l'une des préoccupations majeures de l'AEQJ.